Lenka Karfíková / Matyáš Havrda (Hrsg.)
unter Mitwirkung von Ladislav Chvátal

Nomina divina

Colloquium Dionysiacum Pragense

(Prag, den 30.–31. Oktober 2009)

PARADOSIS
52

Beiträge zur Geschichte der altchristlichen Literatur und Theologie

BEGRÜNDET VON
OTHMAR PERLER

Herausgegeben von
Franz Mali / Beat Näf / Gregor Emmenegger

Lenka Karfíková / Matyáš Havrda (Hrsg.)
unter Mitwirkung von Ladislav Chvátal

Nomina divina

Colloquium Dionysiacum Pragense

(Prag, den 30.–31. Oktober 2009)

Academic Press Fribourg

Veröffentlicht mit Unterstützung des Hochschulrates
der Universität Freiburg Schweiz

Die Druckvorlagen der Textseiten wurden
von den Herausgebern als PDF-Dateien zur Verfügung gestellt.

© 2011 by Academic Press Fribourg
ISBN 978-3-7278-1699-4
ISSN 1422-4402 (Paradosis Fribg.)

Vorrede

Das *Colloquium Dionysiacum Pragense* wurde von der Evangelisch-Theologischen Fakultät der Karls-Universität Prag in Zusammenarbeit mit der Patristischen Gesellschaft der Tschechischen Republik am 30.-31. Oktober 2009 veranstaltet. Ziel der Tagung war es, junge Forscher aus verschiedenen Ländern Europas zusammenzubringen und die Schrift *De divinis nominibus* des geheimnisvollen Areopagiten aus unterschiedlichen Perspektiven zu behandeln. Nicht nur die drei großen theologischen Traditionen – die orthodoxe, die katholische und die lutherische – waren vertreten, sondern auch die philosophischen Inspirationen des Areopagiten sowie seine eigene Inspirationskraft für die Philosophie und die Theorie der Kunst kamen zu Wort.

In die Publikation konnten aus verschiedenen Gründen leider nicht alle Beiträge aufgenommen werden, die in Prag gehalten wurden. Dafür haben wir die Texte von Emiliano Fiori und Franz Mali eingefügt, die nicht nach Prag kommen konnten, deren Forschungsleistungen jedoch den Band um neue Aspekte bereichern.

Die vorliegende Publikation wird durch ein Exposé von Ysabel de Andia eröffnet, die ihre langjährige Arbeit über die *Göttlichen Namen* in eine Art Theologie des Schweigens zusammenfasst, wie sie nicht nur bei Dionysius selbst, sondern auch in der von ihm initiierten Tradition zu finden ist. Die Beiträge von Václav Němec und Ivan Christov gehen von unterschiedlichen Gesichtspunkten der Frage nach, was eigenlich das ontologische Äquivalent der Gottesnamen für Dionysius war: ein Hervorgehen der nicht partizipierten Ursache, das jedoch keine Hypostase bildet (so Němec), oder die Ideen als die erste Ebene der Emanation, die zwischen der göttlichen Ursache und dem Geschaffenen vermitteln (so Christov)? Die Erörterung der Gottesnamen „Zeit" und „Ewigkeit" durch Lenka Karfíková zeigt, dass der Areopagite vor allem an einer Theorie der Aussagen interessiert war, die die Theologie über Gott treffen kann. Obwohl Gott durch keinen Namen erreichbar ist, kann er doch auf der Grundlage dessen benannt werden, was er nicht nur verursacht, sondern durch seine Präsenz auch durchdringt (hier paradigmatisch für die Zeit dargestellt, deren Auffassung deutlich an Proklos erinnert).

Emiliano Fiori befasst sich mit dem Konzept der Mischung, das Dionysius in Anknüpfung an Proklos erarbeitete und wodurch er die Vorstellung eines eschatologischen Zusammenfließens des Geschaffenen mit Gott zu widerlegen versuchte, die in der evagrianischen Tradition drohte. Dionysius, so Fiori, reagierte wohl auf eine Äußerung des Philoxenus von Mabbug, der vor der Theologie des Stefan bar Sudaili gewarnt hatte. Eine andere Anknüpfung des Areopagiten an die antike Tradition wird durch Franz Mali gezeigt, der die Beschreibung der Sonnenfinsternis im Brief 7 nicht als Dionysius' Anspielung auf sein angebliches Erlebnis der Finsternis beim Tod Jesu, sondern als eine Explikation seiner Erfahrung mit dem Astrolabium liest. Der Frage der konstruierten Identität des Dionysius ist teilweise auch der letzte Beitrag gewidmet, in dem Gorazd Kocijančič eine Meditation über die Lektüre des *Corpus Areopagiticum* als Identitätsdekonstruktion und -stiftung bietet.

Unser Dank gehört der Evangelisch-Theologischen Fakultät der Karls-Universität Prag, die die Organisation des Kolloquiums unterstützte, dem Zentrum für die patristischen, mittelalterlichen und Renaissance- Texte der Palackýs-Universität Olomouc, das die Vorbereitung der Akten ermöglichte, und den Herausgebern der Paradosis, die sie in die Reihe eingegliedert haben.

Lenka Karfíková
Matyáš Havrda

Inhaltsverzeichnis

Programm der Tagung

30. Oktober

Eröffnung der Tagung durch Martin Prudký, Dekan der Evangelisch-Theologischen Fakultät der Karls-Universität Prag

Ysabel de Andia (Paris), La tradition mystique dionysienne

Ari Ojell (Helsinki), The ethical significance of the divine names from Gregory of Nyssa to Pseudo-Dionysius Areopagita

Ivan Christov (Sofia), The Two-Level Emanation of Divinity and the Plurality in Mystical Vision

31. Oktober

Anniken Johansen (Oslo), Dionysius the Areopagite and the Origenist movement

Václav Němec (Prag), Übernahme und Umdeutung der neuplatonischen Metaphysik der „gestuften Transzendenz" bei Dionysios

Lenka Karfíková (Prag), „Der Alte der Tage". Gott als Zeit nach *DDN* 10,2-3 vor dem Hintergrund des platonischen *Parmenides*

Staale Johannes Kristiansen (Bergen), Iconic participation. Dionysius' symbolic theology and its relevance for the art historical discourse on interpretation of pictures

Jaroslav Rytíř (Prag), Is there any idolatry of mind? From Marion's to Dionysius' theology

Gorazd Kociančič (Ljubljana), The Name of God and the name of the Author

La tradition mystique dionysienne

Ysabel de Andia (Paris)

Denys l'Aréopagite a écrit un traité sur la *Théologie mystique*[1] (quelques pages fulgurantes en grec) qui a trouvé un écho chez de nombreux mystiques. Il distingue trois modes de la « théologie »[2] : la théologie rationnelle, la théologie symbolique et la théologie mystique[3], celle-ci étant, selon le point de vue sous lequel on se place, plus proche du *logos* ou plus proche du symbole (cf. Ep. 9)[4]. Il s'agit donc avant tout de « théologie ». En effet, toute expérience mystique, à partir du moment où elle se « dit » dans un « discours » ou un « poème », — car elle pourrait ne pas se dire et demeurer dans le silence —, relève d'une réflexion théo-logique. Et c'est à ce niveau « théologique » que l'on peut parler d'une « tradition » mystique dionysienne, soit que les auteurs citent la *Théologie mystique,* soit qu'ils reprennent son vocabulaire et ses images, sa doctrine sur la théologie négative ou sa distinction entre trois sortes de théologie. Cependant,

---

1   Traduction d'Ysabel de Andia à paraître dans *Sources Chrétiennes*.
2   Cf. *R. Roques*, Note sur la notion de théologie chez le Pseudo-Denys l'Aréopagite, RAM 25 (1949) 200-212 ; *R. Roques*, De l'implication des méthodes chez le Pseudo-Denys, RAM 30 (1950) 268-274 ; *H. Urs von Balthasar*, La Gloire et la Croix, II/1 (Paris 1967) 131-192 ; *Ch.-A. Bernard*, La triple forme du discours théologique dionysien au Moyen Âge, in : Y. de Andia (éd.), Denys l'Aréopagite et sa postérité en Orient et en Occident, Actes du Colloque international, Paris, 21-24 septembre 1994 (Paris 1997) 503-515 ; *Ch.-A. Bernard*, Les formes de la théologie chez Denys l'Aréopagite, Gregorianum 59 (1978) 39-69 ; *Y. de Andia*, Il posto di Dionigi nel pensiero di P. Charles André Bernard, in : Teologia mistica in dialogo con le scienze umane. Primo Convegno Internationale Charles André Bernard, Roma, 25-26 novembre 2005 (Milano 2008) 98-120.
3   MT 3 : PG 3, 1033A
4   *Y. de Andia*, Union mystique et philosophie, in : Y. de Andia (éd.), Denys l'Aréopagite. Tradition et métamorphoses (Paris 2006) 37-57.

alors même qu'ils le citent, ils l'adaptent à leur propre pensée, le transforment, c'est pourquoi j'ai parlé dans un livre récent de « tradition et métamorphoses »[5]. C'est donc à des titres variés que tant de théologiens ou d'auteurs spirituels se réclament de « saint Denys ».

Il suffit de parcourir l'article du *Dictionnaire de Spiritualité* : « Influence du Pseudo-Denys en Orient »[6] et « en Occident »[7] pour se rendre compte de l'influence aussi bien sur les Grecs que sur les Latins de ce mystérieux auteur qui se cache derrière le pseudonyme de « Denys », le converti de saint Paul sur l'Aréopage (Ac 17,34).

Chez les Grecs, il faut citer, au VIIe s., Maxime le Confesseur († 662) ; au VIIe-VIIIe s., Anastase le Sinaïte, higoumène du Mont Athos († ap. 700), Jean Damascène (675-749), Théodore Studite (759-826) qui a consacré un couplet de ses *Iambes* à Denys ; au tournant de l'an mille, Syméon le Nouveau Théologien (†1022)[8], et son disciple Nicétas Stéthatos († 1090), qui attribue un chant particulier aux trois triades angéliques, Michel Psellos (†1078) ; et au XIVe s., dans la querelle sur l'hésychasme, aussi bien Grégoire Palamas (†1359) et Nil Cabasilas (†1363) que son ami et futur adversaire Démétrius Cydonès (†1398), enfin, au XVIIIe s., Nicodème l'Hagiorite, qui n'a fait aucune place à Denys dans sa *Philocalie* (1782), mais le cite dans la théorie des trois mouvements de l'âme en faveur du retour de l'esprit dans le cœur dans la prière.

On a essayé de minimiser l'influence de Denys sur le monde grec ou syriaque[9], mais cette position systématique, qui a influencé toute une époque, est remise en question aujourd'hui[10], ainsi, pour le monde syriaque, l'édition de la

---

5   *Y. de Andia* (éd.), Denys l'Aréopagite. Tradition et métamorphoses (Paris 2006).

6   *P. Sherwood, A. Wenger, A. Rayez*, Influence du Pseudo-Denys en Orient, in : Dictionnaire de Spiritualité, t. 3 (Paris 1957), s. v. Denys l'Aréopagite (pseudo-), col. 286-318.

7   *Ph. Chevalier, G. Dumeige, A. Fracheboud, J. Turbessi, M. de Gandillac, A. Ampe, J. Krynen, Eulogio de la Vierge du Carmel, A. Rayez*, Influence du Pseudo-Denys en Occident, in : Dictionnaire de Spiritualité, t. 3, s. v. Denys l'Aréopagite (pseudo-), col. 318-429.

8   Contre: *A. Wenger*, cité par *A. Rayez*, Utilisation du Corpus Dionysien en Orient, in : Dictionnaire de Spiritualité, t. 3, s. v. Denys l'Aréopagite (pseudo-), col. 305-307, pour : *I. Perczel*, Denys l'Aréopagite et Syméon le Nouveau Théologien, in : Y. de Andia (éd.), Denys l'Aréopagite et sa postérité, 341-357.

9   *I. Hausherr*, Les grands courants de la spiritualité orientale, OCP 1 (1935) 124-126 ; *A. Rayez*, Denys l'Aréopagite (pseudo-), in : Dictionnaire de Spiritualité, t. 3, col. 311-315.

10   Cf. *A. Rigo*, La spiritualità monastica bizantina e lo Pseudo-Dionigi l'Areopagita, in : M. Bielawski, D. Hombergen (edd.), Il monachesimo tra eredità e aperture (Roma 2004) 351-392.

traduction de Denys en syriaque par Serge de Resh'aina, contemporain du *Corpus dionysiacum*, met en lumière la transmission de son vocabulaire dans la « mystique syro-orientale »[11].

Quant à l'influence de Denys sur les Latins, à l'époque médiévale, elle est dominante. Saint Bonaventure écrit : « Ce que saint Augustin est pour le dogme, et saint Grégoire pour la morale, saint Denys l'est pour la mystique : le Maître incontesté »[12].

La plupart des ordres religieux ont subi son influence : au XIIe s., l'école de Saint-Victor avec Hugues († 1141) et Richard († 1173) dont Bonaventure a dit :

> Anselmus sequitur Augustinum, Bernardus sequitur Gregorium, Richardus sequitur Dionysium, quia Anselmus in ratiocinatione, Bernardus in praedicatione, Richardus in contemplatione[13],

les Cisterciens avec Guillaume de Saint-Thierry († 1148), en particulier dans le *Speculum fidei* et l'*Aenigma fidei* qui reprend les grands thèmes de la théologie négative dionysienne, et Isaac de l'Étoile[14] ; au XIIIe s., les *Commentaires aux Noms divins* des dominicains Albert le Grand († 1280) et Thomas d'Aquin († 1274) ; au XIVe s., la mystique rhénane, Meister Eckhardt († 1327) et Tauler († 1361), la mystique flamande avec Jan van Ruysbroeck († 1381) que Denys le Chartreux a nommé un « *alter Dionysius* »[15], les Chartreux avec Hugues de Balma († 1306) et, au XIVe s., Denys le Chartreux († 1471), mais aussi Vincent d'Aggsbach qui s'est opposé à Jean Gerson († 1429) dans la « querelle de la docte ignorance »[16] : Gerson, dit-il « *de mistica theologia scripsit non solum*

---

11   Cf. *R. Beulay*, La Lumière sans forme. Introduction à l'étude de la mystique chrétienne syro-orientale (Chevetogne 1987) 158-174 ; 214 ; *R. Beulay*, Denys l'Aréopagite chez les mystiques syro-orientaux et leur continuité possible en mystique musulmane, in : Les Syriaques transmetteurs de civilisation. L'expérience du Bilâd el-Shâm à l'époque omeyyade, Patrimoine syriaque : Actes du Colloque IX (Antélias 2005) 95-106 ; *Y. de Andia*, La Ténèbre de l'inconnaissance et l'extase. Influence de la *Théologie mystique* de Denys l'Aréopagite sur Jean de Dalyatha, à paraître dans un recueil à la mémoire du P. Robert Beulay, au Liban.

12   Cf. *Bonaventure*, De reductione artium ad theologiam 5 : Opera omnia, t. 5 (Quarracchi 1891) 321.

13   *Bonaventure*, De reductione artium ad theologiam 5 : Opera omnia, t. 5, 321.

14   *M.-A. Fracheboud*, Le pseudo-Denys parmi les sources du cistercien Isaac de l'Étoile, Collectanea Ordinis Cisterciensium Reformatorum 9 (1947) 328 ss ; 10 (1948) 19 ss.

15   *Denys le Chartreux*, Tractatus 2 de donis Spiritus sancti, art. 13 : Opera, t. 35 (Montreuil 1908) 184b.

16   *E. Vansteenberghe*, Autour de la docte ignorance, Beiträge zur Geschichte der Philosophie des Mittelalters 14 (Münster 1914).

diversa, sed adversa »[17], Nicolas de Cues († 1464) et son livre sur la *Docte ignorance,* l'auteur anonyme (peut être chartreux ?) du *Nuage de l'inconnaissance* qui a publié son ouvrage avec une traduction de la *Théologie mystique* de Denys, comme Louis Chardon († 1651), dominicain du XVIIᵉ s., a fait suivre le sien, *La Croix de Jésus,* d'une traduction du *Livre de la Théologie mystique de saint Denis Aréopagite, à Timothée, évêque d'Éphèse.*

Il faut ajouter tous ceux qui ont écrit un *De mystica theologia,* du XIIIᵉ s. au XVᵉ s., Hugues de Balma, Gerson († 1429), Harpius († 1477) ; au XVIIᵉ s., les carmes Philippe de la Trinité (1603-1671) qui écrivit une *Summa theologiæ mysticæ,* et Joseph du Saint Esprit (1609-1674) qui a écrit une « chaîne mystique carmélitaine des auteurs par lesquels s'est renouvelée la théologie mystique de saint Denys l'Aréopagite »[18].

Quant à Jean de la Croix (1542-1591), qui, d'après son biographe Quiroga, « mêlait, avec les matières scolastiques qu'il étudiait (à Salamanque) une lecture particulière d'auteurs mystiques, en particulier saint Denys et saint Grégoire »[19], il cite la « théologie mystique » de « saint Denys »[20], mais il transforme sa doctrine pour la faire sienne. Ainsi l'expression « théologie mystique » a, chez saint Jean de la Croix, le sens de grâce mystique ou de « contemplation infuse » et non, comme plus tard, le sens de réflexion théologique sur la grâce mystique. Mais, lorsque Jean de la Croix introduit le terme « contemplation infuse », il se réfère à Denys et à « d'autres théologiens » : « La contemplation est obscure, dit-il dans le *Cantique spirituel,* à cause de cela on l'appelle d'un autre nom *théologie mystique,* qui veut dire science de Dieu secrète ou cachée..., ce que *certains spirituels* appellent *comprendre sans comprendre* »[21]. L'expression

---

17   *E. Vansteenberghe,* Autour de la docte ignorance, 195.

18   *Joseph du Saint Esprit,* Cadena mística carmelitana de los autores carmelitas descalzos, por quien se ha renovado en nuestro siglo la doctrina de la Theologia mistica, de que ha sido discípulo de San Pablo, y primer escritor, san Dionisio Areopagita, antiguo obispo y mártir (Madrid 1678).

19   *José de Jesus-Maria Quiroga,* Historia de la vida y virtudes del venerable Padre Fr. Juan de la Cruz 1,4 (Bruxelles 1628) 35 ; (Burgos 1927) 14. Du même auteur voir Subida del alma a Dios y entrada en el paraiso espiritual (Madrid 1656-1659).

20   *Jean de la Croix* cite explicitement « saint Denys » quatre fois à propos du « rayon de ténèbres » dans la Montée du Carmel (2 M 8,6), la Nuit obscure (2 N 5,3), le Cantique spirituel (CB 14,16) et la Vive Flamme (VFB 3,49) : « *Saint Denys* et d'autres théologiens mystiques appellent cette contemplation infuse *rayon de ténèbres* » (2 N 5, 3). Cf. *Y. de Andia,* La théologie mystique chez Jean de la Croix, in : Denys l'Aréopagite. Tradition et métamorphoses, 257-297.

21   CB 39,12.

« comprendre sans comprendre » (*entender sin entender*) ne se trouve pas chez Denys l'Aréopagite, mais on trouve la formule inverse dans la *Théologie mystique* : « Grâce à cette inconnaissance, connaissant par-delà toute intelligence »[22].

A l'époque du quiétisme, l'influence de Denys l'Aréopagite sur les Carmes de la réforme de Touraine, Jean de Saint-Samson et ses disciples, a été dénoncée par Jean Chéron dans un livre qui porte comme titre : *Examen de la théologie mystique* (1657).

Après l'interruption du siècle des lumières qui n'a pas compris « la ténèbre mystique » (et ce fait est digne d'attention), il faudra attendre le XXe siècle pour retrouver l'intérêt pour la théologie mystique avec la publication, à la fin de la première guerre mondiale, les livres de Dom Anselm Stolz O.S.B. sur *La Théologie de la mystique* (1936)[23] et de Vladimir Lossky, *Essai sur la théologie mystique de l'Église d'Orient* (1944), qui présente la *Théologie mystique* de Denys comme modèle de l'apophatisme de l'Église d'Orient[24] et enfin, en 2005, la publication posthume du livre de Charles-André Bernard S.J. intitulé *Théologie mystique*[25].

Cependant on a mis en question le bien-fondé de l'influence dionysienne en disant qu'elle était due à l'autorité apostolique que Denys avait empruntée par son pseudonyme ; cette objection n'explique pas la fascination qu'il a exercée et qu'il n'aurait pas exercée si son texte eut été banal et sans écho dans l'âme de ceux qui le lisaient, et cela chez des gens aussi différents que le peintre El Greco[26], qui possédait trois exemplaires en grec de la *Théologie mystique* dans sa bibliothèque, Avvakum, le chef des Vieux croyants, en Russie[27], ou Jules Monchanin[28], en Inde.

---

22   MT 1,3 : PG 3, 1001A.

23   A. *Stolz*, Theologie der Mystik (Regensburg 1936) (Théologie de la mystique, Chevetogne 1947², Amay-sur-Meuse 1939¹).

24   *V. Lossky*, Théologie mystique de l'Église d'Orient (Paris 1944) 24.

25   *Ch.-A. Bernard*, Théologie mystique (Paris 2005).

26   *Y. de Andia*, Denys l'Aréopagite à Paris, in : Y. de Andia (éd.), Denys l'Aréopagite et sa postérité, 14.

27   Cf. *M. V. Dimitriev*, Denys l'Aréopagite lu en Russie et en Ruthénie aux XVe-XVIIe siècles. Joseph de Volokolamsk, le starets Artemij, le protopope Avvakum, Istina 52 (2007) 449-465.

28   *Y. de Andia*, Jules Monchanin, la mystique apophatique et l'Inde, in : Jules Monchanin (1895-1957), Regards croisés d'Occident et d'Orient. Actes des Colloques de Lyon-Fleurie et de Shantivanam-Thannirpalli (Lyon 1997) 109-142.

L'autre question que l'on s'est posée à propos de Denys est celle de son
« expérience mystique » : Denys est-il un « mystique » ou est-il seulement un
« théologien » de la mystique? Cette question suppose elle-même un autre débat
qui a agité toute la première partie du XXe siècle, à savoir qu'est-ce que la
mystique et comment définir « l'expérience mystique » ? J'ai essayé de montrer,
dans mon article sur mystique et liturgie[29], la dérive d'un sens objectif à un sens
subjectif de la mystique avant Vatican II. Il ne s'agit pas seulement de contester
(comme ceux qui le considèrent plus « païen » que « chrétien ») ou d'accorder
(comme les grands théologiens médiévaux et Urs von Balthasar, au XXe s.) à
Denys le titre de « mystique », il s'agit de voir quel écho sa pensée a-t-elle eu sur
la mystique chrétienne et comment parler d'une « tradition mystique » dionysienne au prix de « métamorphoses »[30] de sa pensée.

Pour cela, je voudrais retenir trois points de la mystique dionysienne : le
« *pati divina* », la « ténèbre mystique » et la théologie négative, qui définissent
l'expérience mystique comme au-delà du discours théologique, car c'est dans
l'au-delà de la théologie que se situe la « théologie mystique » de Denys l'Aréopagite qui fait place à l'indicible.

I. Pati divina[31]

Denys se présente dans les *Noms divins* comme le disciple de Hiérothée qui
« non seulement connaissait mais aussi pâtissait les choses divines » (οὐ μόνον
μαθών, ἀλλὰ καὶ παθὼν τὰ θεῖα). L'opposition « connaître-pâtir », μαθεῖν-παθεῖν, se trouve dans le fragment 15 du Περὶ φιλοσοφίας d'Aristote,
à propos de l'opposition de l'initiation aux mystères d'Eleusis (παθεῖν) et de
l'enseignement de la philosophie (μαθεῖν). Le « pâtir » indique le transport des
bacchantes ; c'est une forme de possession du myste par le dieu qui le fait danser
et délirer.

---

29   *Y. de Andia*, Mystique et liturgie – recentrement sur le Mystère au siècle de Vatican II,
LMD 250 (2007) 59-109.

30   *Y. de Andia*, Avant-propos, in : Y. de Andia (éd.), Denys l'Aréopagite. Tradition et
métamorphoses, 11-13.

31   *Y. de Andia*, Παθὼν τὰ θεῖα, in : S. Gersh, C. Kannengiesser (eds.), Platonism in Late
Antiquity, Homage to Père É. des Places (Notre Dame 1992) 239-258 ; repris dans : Y. de
Andia (éd.), Denys l'Aréopagite. Tradition et métamorphoses, 17-35.

Ce « pâtir » les choses divines est devenu la caractéristique de l'expérience mystique qui est d'abord « passive »[32].

1. Hiérothée

C'est à propos de la connaissance des mystères de Jésus, au terme des trois moments de la réception de l'Écriture, de la recherche et de la vision de son sens, et de l'inspiration divine, que Denys dit de son maître Hiérothée que « non seulement il connaissait, mais également il pâtissait les choses divines ».

De ces choses nous avons suffisamment parlé ailleurs et notre illustre maître[33] les a célébrées dans ses *Éléments Théologiques* d'une façon tout à fait prodigieuse, soit que ce personnage les ait reçues des saints théologiens, soit qu'il les ait considérées au terme de son investigation savante des *Oracles*, après y avoir consacré beaucoup de temps et d'exercice[34], soit qu'il ait été *initié par une inspiration plus divine, non seulement connaissant mais pâtissant les choses divines*, et, par suite de cette « *sympathie* »[35], si l'on peut ainsi parler, envers

---

32 A. *Solignac*, Passivité (dans l'expérience mystique), in : Dictionnaire de Spiritualité, t. 12 (Paris 1984) col. 357-360 ; A. *Solignac*, Mystique, in : Dictionnaire de Spiritualité, t. 10 (Paris 1980) col. 1955-1965.

33 Denys emploie, pour désigner Hiérothée, l'expression « notre illustre maître » en DN 3,2 ; 3,3 ; 4,14 : PG 3, 681A ; 684D ; 713A ; CH 6,2 : PG 3, 200D ; 201A ; EH 2 ; 3 : PG 3, 392A ; 424C. Cf. *I. P. Sheldon-Williams*, The ps.-Dionysius and the Holy Hierotheus, StPatr 8/2 (1966) 108-117 ; *P. Rorem*, Biblical and Liturgical Symbols within the Pseudo-Dionysian Synthesis (Toronto 1984) 113. *Proclus* emploie la même expression à propos de Syrianus « Notre maître en vérité théologique et ami de cœur de Platon » (Theol. plat. 1,10 : H. D. Saffrey – L. G. Westerink, I, Paris 1968, 42,9-10).

34 Cf. *Platon*, Tht. 169b.

35 Nous avons la même séquence παθεῖν-μαθεῖν-τελεσθῆναι que dans les tragiques grecs et l'Épître aux Hébreux (5,8). L'opposition μαθεῖν-παθεῖν se trouve dans le fragment 15 du Περὶ φιλοσοφίας d'*Aristote*, à propos de l'opposition de l'initiation aux mystères (παθεῖν) et de l'enseignement de la philosophie (μαθεῖν). Ce fragment a été utilisé par *Synésius* (Dion 8,6 : K. Treu, Berlin 1959, 28,4-7 ; cf. *K. Treu*, Synesios von Kyrene. Ein Kommentar zu seinem «Dion», TU 71, Berlin 1958, 74-76), *Denys*, ici et Ep. 9 : PG 3, 1105D, et *Psellos* dans une scholie sur un passage de Jean Climaque. Sur la συμπάθεια : cf. *Platon*, Phdr. 265a ; *Plotin*, Enn. VI,9 (9), 4,11 ; *Proclus*, In Parm. IV : V. Cousin (Paris 1864) 874,28 ; 909,14 ; In Tim. : E. Diehl, I (Leipzig 1903) 21,1 ; E. Diehl, II (Leipzig 1904) 24 ; Theol. plat. I,6 : Saffrey–Westerink 29,5 ; *Denys*, DN 3,2 ; 7,4 : PG 3, 684A ; 873A ; MT 1,1 : PG 3, 997B ; Ep. 9 : PG 3, 1105D; *H. Koch*, Pseudo-Dionysius Areopagita in seinen Beziehungen zum Neuplatonismus und Mysterienwesen

elles, ayant été rendu parfait pour une mystérieuse union et foi en ces choses qu'on ne peut enseigner. Et pour citer en peu de mots les visions nombreuses et bienheureuses[36] de cet esprit supérieur, voici ce qu'il dit de Jésus dans les *Éléments théologiques* qu'il a rassemblés...[37].

Or ce « pâtir » est immédiatement expliqué comme une « sympathie » : « Par suite de cette sympathie », Hiérothée a été « rendu parfait par une mystérieuse union et foi en ces choses qu'on ne peut enseigner ». L'allusion à *l'Épître aux Hébreux* est claire. Le Christ, « *tout Fils qu'il était, il apprit de ce qu'il souffrit l'obéissance ; après avoir été rendu parfait il est devenu pour tous ceux qui lui obéissent, principe de salut éternel* » (He 5, 8-9).

Chez Denys, nous retrouvons cette double idée que Dieu est celui qui a l'initiative, qui est actif, alors que le mystique est passif, et que ce « pâtir » est à la fois une « inspiration » spirituelle et une « initiation » hiérarchique : Hiérothée a été initié aux mystères par Paul et Denys l'Aréopagite, par Hiérothée. Denys reconnaît qu'Hiérothée est « supérieur » à lui-même et à ceux qui n'ont pas reçu le don de la sagesse. Cette « transmission » d'une connaissance se fait, dans les écoles philosophiques, par la relation « maître-disciple » et, dans « l'initiation » aux « mystères », c'est-à-dire aux sacrements, par un « rite ». Dans la relation de Denys à Hiérothée, ce que le maître a transmis à son disciple ce sont des enseignements sur la « divinité de Jésus »[38] et des « hymnes érotiques » que Denys lui attribue au chapitre IV des *Noms divins*[39].

2. Pati divina

Les traducteurs latins médiévaux ont traduit la formule grecque οὐ μόνον μαθών, ἀλλὰ καὶ παθὼν τὰ θεῖα de manière différente : « *non tantum discens sed et patiens divina* » (Hilduin, Sarrazin, Robert Grossetête) ; « *non solum*

(Mainz 1900) 138 ; W. *Völker*, Kontemplation und Ekstase bei Ps. Dionysius Areopagita (Wiesbaden 1958) 199. Il y a une « indicible *sympatheia* » des âmes avec les rites, dit *Proclus* (In Remp. : W. Kroll, II, Leipzig 1901, 108,17-30). Cf. W. *Burkert*, Les cultes à mystères dans l'Antiquité (Paris 1992) 63 ss.

36   Les θεάματα sont, chez *Platon*, les visions des intelligibles que l'âme voit avant d'être incarnée : cf. le mythe d'Er (Rep. X : 615b), le mythe des voyages de l'âme (Phédon 111c).

37   DN 2,9 : PG 3, 648A-B.

38   DN 2,10 : PG 3, 648C.

39   Cf. DN 4,14-17 : PG 3, 713A-D.

discens sed et affectus divina » (Jean Scot Erigène) et Thomas Gallus a para-phrasé : « *sive per divinam inspirationem et divinorum experientiam* »[40]. Les synonymes de « pâtir » sont donc l'« affect » (*affectus*) (ce qui n'est pas immédiatement l'affectivité) et l'« expérience ». Voilà le mot introduit.

Thomas d'Aquin, dans son *Commentaire des Noms divins* (1261), utilise la version de Sarrazin et l'explicite en recourant à celle de Jean Scot : « *non solum discens, sed et patiens divina, id est non solum divinorum scientiam in intellectu accipiens, sed etiam diligendo eis unitus per affectum* »[41]. L'opposition du « dire » et du « pâtir » (*discens-patiens*) est identifiée à celle de la « science divine reçue dans l'intellect » et de l'amour qui unit aux choses divines par « l'affect » (*affectus*). Thomas d'Aquin rattache le « *patiens divina* » à l'« appétit » qui se meut vers les choses telles qu'elles sont en elles-mêmes (*prout sunt in seipsis*), tandis que l'intelligence les saisit selon le mode de la connaissance (*secundum modum cognoscentis*). Le « connaître » et le « pâtir » correspondent à deux facultés, l'intellect (*intellectus*) et l'appétit ou l'affect (*affectus*), qui ne se rattache pas à l'affectivité ou au sentiment, mais à la volonté, comme l'amour. Nous sommes encore loin de la « mystique affective ».

Dans la *Somme théologique,* Thomas d'Aquin évoque le « *pati divina* » à propos du don de sagesse, don du Saint Esprit et fruit de la charité (II[a] II[ae], q. 45, a. 2)[42]. Le don de sagesse donne une « connaissance par connaturalité » des choses divines à ceux qui le reçoivent et se laissent transformer par l'Esprit. La connaturalité entre Dieu et l'homme est le processus de divinisation par lequel l'homme devient « participant à la nature divine », selon l'expression de saint Pierre dans sa *Seconde Épître* (1,4) ou « devient Dieu », selon les Pères grecs à la suite d'Irénée de Lyon et d'Athanase d'Alexandrie.

Dès lors la « connaissance par connaturalité » devient un terme-clé pour définir l'« expérience mystique », aussi bien par le Père Marie-Eugène de l'Enfant Jésus dans *Je veux voir Dieu* (1956)[43] que par Jacques Maritain dans les *Degrés du savoir* (1932)[44].

---

40 *Thomas Gallus,* In De div. nom. : Ph. Chevalier, Dionysiaca, I (Paris 1937) 679.

41 *Thomas d'Aquin,* In De div. nom. II,4, n. 191 : C. Pera (Turin – Rome 1950) 59.

42 *Y. de Andia, Pati divina* chez Denys l'Aréopagite, Thomas d'Aquin et Jacques Maritain, in : Th.-D. Humbrecht (éd.), Les Cahiers Thomas d'Aquin (Paris 2010) 549-589.

43 *R. P. Marie-Eugène de l'Enfant Jésus, O.C.D.,* Je veux voir Dieu (Venasque 1956), voir index.

44 *J. Maritain,* Les degrés du savoir (Paris 1932[4]) 489, n. 1. ; *J. Maritain,* Expérience mystique et philosophie, in : Œuvres complètes, IV (Fribourg, Suisse 1983) 707.

La « passivité mystique » n'a pas le sens moderne d'inactivité, mais bien au contraire celui d'expérience que l'âme vit intensément sous l'influx de l'action divine.

Elle a pris différentes formes, selon les différentes écoles de spiritualité. Certains termes du vocabulaire mystique désignent l'emprise de l'action divine et la passivité corrélative de l'âme comme la « blessure d'amour », l'illumination, la « ligature des puissances », etc. Certains auteurs soulignent « l'abandon » (avec les condamnations du « faux abandon » par le Magistère à l'époque du quiétisme), « l'anéantissement » mystique, la « nudité » ou la « mort » mystique.

Il faut toutefois distinguer deux sortes de « passivité » : la « passivité » qui consiste à « faire le vide », pour se disposer à accueillir l'action de Dieu, et la « passivité » qui est « l'impuissance » radicale de l'âme sous l'emprise de l'action divine. Dans la première, c'est l'homme qui a l'initiative, dans la seconde, c'est Dieu : telle est la véritable passivité mystique.

II. La Ténèbre mystique

Denys se situe dans la tradition des *Commentaires* de *l'Exode* et des « *Vie de Moïse* » aussi bien de Philon d'Alexandrie que de Grégoire de Nysse. Le thème de la « ténèbre mystique », comme celui de l'extase, apparaît chez Grégoire de Nysse, dans la *Vie de Moïse,* avant d'être la pointe de la *Théologie mystique* de Denys. L'un et l'autre commentent *Exode* 20,21 : « Moïse entra dans la ténèbre où Dieu était ». L'expérience mystique de la « ténèbre » a donc un fondement scripturaire qui lui accorde sa légitimité : Dieu se révèle dans la ténèbre.

H.-Ch. Puech, dans un article célèbre sur « La ténèbre mystique chez le Pseudo-Denys et dans la littérature patristique »[45], montre les origines et le développement de ce thème.

> Après Grégoire de Nysse, la tradition relative à la Nuée … se prolonge avec plus ou moins de banalité, après le pseudo-Denys, notamment chez son grand commentateur Maxime le Confesseur : la Nuée est pour lui la démarche informe, invisible, incorporelle de l'intelligence délivrée de toute relation avec quoi que

---

45 *H.-Ch. Puech*, La ténèbre mystique chez le Pseudo-Denys l'Aréopagite et dans la tradition patristique, Etudes Carmelitaines mystiques 23 (1938) 33-53 ; *H.-Ch. Puech*, En quête de la Gnose (Paris 1968) 119-141.

ce soit d'autre que Dieu. Le thème est adopté par la mystique syriaque. Il devient un bien et un lieu commun de la spéculation byzantine … La *Théologie mystique* du pseudo-Denys se situe dans la perspective continue de la tradition patristique. Par là *gnophos* et *skotos* y conservent encore une allure extérieure et une valeur théorique. Il leur manque, en tout cas, le caractère dramatique, affectif, que revêt la Nuit dans les mystiques expérimentales et l'amour purificateur ne semble pas en constituer le tréfonds[46].

Puech n'hésite pas à parler de « tradition relative de la Nuée », γνόφος en grec, qu'il serait préférable de traduire par « Ténèbre », en réservant « Nuée » pour νεφέλη. Qu'en est-il de Denys ?

1. La Ténèbre plus que lumineuse du silence

Dans la prière qui ouvre la *Théologie mystique,* Denys demande à la Trinité de nous conduire

> là où les mystères simples, absolus et immuables de la théologie ont été en-
> sevelis dans la *Ténèbre plus que lumineuse du silence* initiateur du secret, faisant
> surétinceler dans l'obscurité la plus profonde la lumière la plus éclatante et, dans
> ce qui est complètement impalpable et invisible, emplissant outre mesure de
> splendeurs de toute beauté les intellects aux yeux clos[47].

’Ανομμάτος, c'est celui qui a les « yeux clos » ou qui est « sans yeux » : ce terme que Denys a emprunté à Plotin et Proclus, qualifie, chez les Grecs l'*éros* qui est aveugle[48]. Dans l'entrée dans la Ténèbre, il y a un « aveuglement » de l'intellect qui « ferme les yeux » ou qui est « aveuglé », selon le double sens du terme grec. Est-ce que les yeux se ferment parce qu'ils sont éblouis par une lumière trop éclatante, comme les prisonniers qui sortent de la caverne[49], ou bien les ferment-ils pour voir « l'invisible » et toucher « l'impalpable » ?

C'est l'aspect d'ascèse que comporte toute contemplation : la « ligature des sens » et la « purification de l'intellect » se font par le renoncement au sentir et au voir.

---

46   *H.-Ch. Puech*, En quête de la Gnose, 139-141.
47   MT 1,1 : PG 3, 997B.
48   Panofsky a écrit une très belle étude sur l'*éros* aveugle: *E. Panofsky*, Blind Cupid, in : Studies in Iconology. Humanistic Themes in the Art of the Renaissance (Oxford 1939) 126 ss.
49   *Platon*, Rep. VII : 516a.

2. L'extase et l'éros

Après la prière à la Trinité, Denys s'adresse à Timothée :

> Pour toi, mon cher Timothée[50], par une application intense aux contemplations mystiques, abandonne à la fois les sensations et les activités intellectuelles, tout le sensible et tout l'intelligible, tout ce qui n'est pas et tout ce qui est, et élève-toi, autant qu'il est possible, dans l'inconnaissance vers l'union avec *Celui qui est au-dessus de toute essence et connaissance*[51] ; car c'est par une extase[52] purement déliée[53] et détachée de tout et de toi-même (τῇ γὰϱ ἑαυτοῦ καὶ πάν-των ἀσχέτῳ καὶ ἀπολύτῳ καθαϱῶς ἐκστάσει), que tu seras soulevé vers le rayon suressentiel[54] de la Ténèbre[55] divine, après avoir tout écarté[56] et t'être détaché de tout (πάντα ἀφελὼν καὶ ἐκ πάντων ἀπολυθείς)[57].

---

50   Timothée, le disciple de saint Paul (Ac 17,14-15 ; Rm 16,21 ; 1 Co 4,17), est le des-tinataire des écrits de *Pseudo-Denys*, de la Hiérarchie céleste (CH : PG 3, 120A), de la Hiérarchie ecclésiastique (EH : PG 3, 369C), des Noms divins (DN : PG 3, 585A), de la Théologie mystique (MT : PG 3, 997A), ainsi que du traité perdu ou fictif de la Théologie symbolique (Ep. 9 : PG 3, 1104B). Au début des Noms divins, Denys fait la même recommandation qu'ici à Timothée de garder la discipline de l'arcane : « C'est donc à toi qu'il revient de veiller à cela, mon cher Timothée, selon la prescription la plus sacrée et de faire que les choses divines ne soient pas dites ou divulguées pour les non-initiés » (DN 1,8 : PG 3, 597C).

51   Le terme γνῶσις qui n'est pas employé une seule fois dans les Noms divins apparaît 5 fois dans la Théologie mystique (MT 1,1 ; 1,2 ; 1,3 ; 2 ; 5 : PG 3, 997B ; 1000A ; 1001A ; 1025A ; 1048A) et 15 fois dans les Lettres.

52   Il n'y a que trois emplois du terme ἔκστασις dans le Corpus Dionysiacum : en DN 4 : PG 3, 693A ; MT 1,1 : PG 3, 1000A, et Ep. 9 : PG 3, 1112C2. Sur l'extase, voir : *G. Horn, Amour et extase d'après Denys l'Aréopagite*, RAM 6 (1925) 278-289.

53   Ces deux adjectifs indiquent l'absence de conditions et de limites de l'extase. L'adjectif ἄσχετος est un terme technique, il signifie ce qui est « sans relation », par opposition à ce qui est « selon la relation » (κατὰ σχέσιν), c'est-à-dire « absolu ».

54   Dans le chapitre I des Noms divins (DN 1,4 : PG 3, 592D), il s'agit, comme au chapitre IV (DN 4,11 : PG 3, 708D), d'un *élan* (ἐπιβολή) *vers le rayon suressentiel* : « faisant trêve à notre activité intellectuelle, nous nous élançons (ἐπιβάλλομεν), dans la mesure permise, *vers le rayon suressentiel* dans lequel tous les termes extrêmes de toutes les connaissances préexistent d'une manière plus qu'ineffable, rayon qu'il n'est possible ni de penser, ni de dire, ni de contempler si peu que ce soit, parce qu'il est séparé de tout et surinconnaissable ». L'ἔκστασις exprime, dans ce passage de la Théologie mystique, le même mouvement que l'ἐπιβολή dans les Noms divins. Sur le «rayon suressentiel », voir surtout DN 1,4 : PG 3, 592D-593A et Ep. 8 : PG 3, 1085C.

55   Le terme employé ici est σκότος, tandis que le titre du chapitre porte γνόφος. Sur la différence de σκότος (EH 3,3,6 : PG 3, 433A ; DN 4,5 ; 4,24 ; 7,2 : PG 3, 700D ; 728A ; 869B2 ; MT 1,1 ; 5 : PG 3, 1000A2, 1048A ; Ep. 1 : PG 3, 1065A2) et de γνόφος (DN

Plotin a parlé d'une « sortie de tout », mais non d'une « sortie de soi-même » et Origène se méfiait de l'extase qui revêtait pour lui le sens de « folie » : être « hors de soi », c'est être « hors de sens ». Denys accepte l'un et l'autre sens car le caractère irrationnel de l'extase est celui de l'amour divin qui est une folie divine.

Dans les *Noms divins*, Denys caractérise l'amour divin d'extatique :

> Mais l'amour divin est également extatique[58], ne laissant pas les amants s'appartenir à eux-mêmes, mais à ceux qu'ils aiment[59]. La preuve c'est que les supérieurs sont faits (pour être) la providence des inférieurs, les égaux pour une cohésion mutuelle, et les inférieurs pour une conversion plus divine vers les premiers[60].

L'extase n'est pas un ravissement passager ni un transport affectif, mais l'exigence et l'on pourrait dire la loi constitutive de l'amour divin qui ne laisse pas « les amants s'appartenir à eux-mêmes, mais à ceux qu'ils aiment ». La « preuve » de la force extatique de l'amour, c'est qu'il pousse les êtres à sortir d'eux-mêmes pour être la providence (πρόνοια) des inférieurs, la cohésion (συνοχή) des égaux entre eux et la conversion (ἐπιστροφή) des inférieurs envers les supérieurs. L'amour décrit un « cercle » en sortant de lui-même pour revenir à lui-même.

C'est alors que Denys prend Paul comme exemple de celui qui est possédé par l'amour divin (θεῖος ἔρως) :

> C'est pourquoi le grand Paul[61], possédé par l'amour divin et ayant reçu part à sa puissance extatique, dit de sa bouche inspirée : « *Je vis, mais non plus moi, c'est*

7,2 : PG 3, 869A ; MT 1,1 ; 1,3 ; 1,3 ; 2 ; 3 : PG 3, 997AB ; 1000C ; 1001A ; 1025AB ; 1033B ; Ep. 5 : PG 3, 1073A), voir *C.-H. Puech*, La ténèbre mystique, 33-37.

56   L'expression πάντα ἀφελών de la Théologie mystique renvoie à l'injonction de *Plotin*, dans les Ennéades (Enn. V,3 [49], 17,38), à celui qui veut être philosophe : ἄφελε πάντα, abandonne tout. Voir aussi ἀφελῶν πάντα dans Enn. VI,8 (39), 21,26.

57   MT 1,1 : PG 3, 1000A.

58   ἐκστατικός : Le scholiaste cite Ps 115,2 (LXX) et C. Pera 2 Co 5,13. Sur l'extase, voir DN 3,3 ; 4 ; 4,10 ; 4,14 : PG 3, 684C, 693A, 708B, 713A ; CH 1,1 ; 1,2 : PG 3, 120B ; 121B ; MT 1,1 : PG 3, 1000A; *Proclus*, In Alc. : L.G. Westerink (Amsterdam 1954) 63,12 ss. ; *Maxime le Confesseur*, Amb. 21 : PG 91 (Paris 1865) 1249B ; *G. Horn*, Amour et extase d'après Denys l'Aréopagite, 278-289.; *W. Völker*, Kontemplation, 197.

59   DN 4,10 : PG 3, 708A ; *Proclus*, Elem. theol. 110 : E. R. Dodds (Oxford 1963², reprint 1971) 98.

60   DN 4,13 : PG 3, 712A.

61   Παῦλος : DN 2,11 : PG 3, 649D. Le participe parfait ἐξεστηκώς caractérise *Paul* (cf. 2 Co 5,13 : ἐξέστημεν) qui est « sorti de lui » et « ne vit plus sa propre vie » (2 Co 5,15),

le Christ qui vit en moi » (Ga 2,20) ; en « véritable amant » *sorti de lui,* comme il le dit lui-même (2 Co 5,13), pour Dieu, vivant non plus sa propre vie (2 Co 5,15), mais celle de Celui qu'il aime[62], comme très aimée[63].

Denys se fonde sur l'Écriture pour montrer le caractère extatique de Paul : le verset de 2 Co 5,13 dit qu'il est « hors de lui » ou « sorti de lui », et celui de Ga 2,20, selon Paul lui-même qu'il est dans le Christ, comme le Christ est en lui.

L'extase a donc une référence christologique chez Denys, ce que l'on n'a pas assez noté, et le divin *éros* n'est pas, non plus, comme nous le verrons, absent de l'extase de Moïse.

Cependant Denys l'Aréopagite fait aussi allusion à Socrate et ses référen-ces sont souvent susceptibles d'une double lecture chrétienne et néoplatoni-cienne.

Paul est appelé le « véritable amant » parce qu'il ne s'appartient plus et qu'il est possédé par le Christ. L'opposition sous-entendue ici est celle de Paul et de Socrate qui est également nommé « véritable amant » dans le *Commentaire au Premier Alcibiade* de Proclus[64]. Seulement la direction de l'amour a changé, ici, ce n'est pas le maître, mais le disciple qui est appelé « véritable amant ». Toutefois, dans cette extase où il sort de lui-même, Paul est « possédé » par l'*éros* divin qui ne le laisse pas s'appartenir à lui-même. Il n'y a pas, chez Denys, d'extase ou de « sortie de soi » sans possession par un autre : c'est cela l'union à Dieu, terme de l'ascension de Moïse et de la Sagesse-Folie de Paul, sensé et « hors de sens ».

Enfin, cette loi de l'Amour divin de ne plus s'appartenir à soi-même, mais de sortir de soi par amour, est celle de Dieu lui-même, c'est pourquoi Denys poursuit :

> Mais il faut aussi oser dire, dans l'intérêt de la vérité, ceci : lui-même, Cause de tout, par l'amour beau et bon de tous les êtres, dans la *surabondance de sa Bonté amoureuse, sort de lui-même* par ses providences à l'égard de tous les étants et, pour ainsi dire, se laisse séduire par la bonté, la dilection et l'amour ; et, de séparé (qu'il était) de tout et au-dessus de tout, il se laisse entraîner à (être) en

---

mais celle de Celui qu'il aime. L'extase de Paul, c'est de vivre la vie du Christ. Cf. *Y. de Andia*, Moïse et Paul, modèles de l'expérience mystique de Grégoire de Nysse à Denys l'Aréopagite, StPatr 48 (2010) 189-204.

62   Cf. DN 3,2 : PG 3, 681D; MT 1,1 : PG 3, 1000A; *Platon*, Phdr. 249d ; *Proclus*, In Tim. : Diehl I, 212,21.

63   DN 4,13 : PG 3, 712A.

64   *Proclus*, dans son Commentaire sur Alcibiade appelle Socrate « l'amant véritable » (ὁ τῷ ὄντι ἐραστής) (In Alc. : Westerink 49,16).

tous selon la puissance suressentielle par laquelle *il sort de lui-même sans se séparer*[65] *de lui-même*[66].

La Cause de tout, par l'amour de tous les êtres, « *sort* » d'elle-même par ses providences, et Dieu, « de *séparé* qu'il était, se laisse entraîner » ou « se laisse séduire ». Ce qui est visé, c'est le mouvement de procession (πρόοδος) créatrice de la Cause de tout qui sort d'elle-même tout en demeurant en elle-même (μο-νή), car Dieu « sort de lui-même sans se séparer de lui-même ». C'est encore le mouvement circulaire de l'amour.

Cette extase de l'*éros* divin, Denys l'appelle « jalousie ». Dieu est un « Dieu jaloux » (Dt 5,9)[67]. Et cette puissance extatique de l'amour, qui met les amants hors d'eux-mêmes, les empêche de s'appartenir à eux-mêmes : en ce sens, la jalousie est l'envers de l'extase.

> C'est pourquoi ceux qui sont versés dans les choses divines l'appellent (un Dieu) *jaloux* parce qu'il est grand dans l'ordre du bon amour, parce qu'il *excite jusqu'à la jalousie le désir amoureux* envers lui et *se montre lui-même jaloux,* lui pour qui même les (êtres) qui le désirent sont objets de jalousie, en tant que les choses qui sont objets de sa providence sont objets de sa jalousie. Bref, *le fait d'être aimé et l'amour appartiennent* au Beau et Bien, sont préétablis dans le Beau et Bien, existent et se produisent à cause du Beau et Bien[68].

Cette « appartenance » de l'Aimé par l'Amant divin se retrouve dans le cas de Moïse qui entre dans la Ténèbre.

3. L'entrée dans la Ténèbre

> Et alors (Moïse) se *libère* même des êtres visibles et voyants et il *pénètre* dans la *Ténèbre réellement mystique de l'inconnaissance* (εἰς τὸν γνόφον τῆς ἀγνω-σίας εἰσδύνει τὸν ὄντως μυστικόν), dans laquelle il fait *taire* toutes les

---

65   Ce mouvement de l'amour qui sort de lui-même, d'une manière extatique, sans se séparer de lui-même (ἀνεκφοίτητον) est un mouvement en spirale, comme il est dit au § 8 à propos des intellects divins qui, « exerçant leurs providences envers les inférieurs, demeurent sans se séparer d'eux-mêmes (ἀνεκφοιτήτως) dans leur identité » (DN 4,8 : PG 3, 704D6). Cf. DN 1,5 ; 3,3 ; 4,9 ; 4,10 ; 4,11 ; 4,13 : PG 3, 593D ; 684C ; 705B ; 708B ; 709A ; 712A. Voir aussi *Proclus*, In Alc. : Westerink 30,7 ; 63,12 ; Elem. theol. 15 : Dodds 16-18.

66   DN 4,13 : PG 3, 712B.

67   Ex 20,5 ; 34,14 ; Dt 5,9 ; 6,15 ; Na 1,2.

68   DN 4,13 : PG 3, 712B.

appréhensions cognoscitives et *se trouve* en ce qui est totalement impalpable et invisible, *appartenant tout entier à Celui qui est au-delà de tout* (πᾶς ὢν τοῦ πάντων ἐπέκεινα), et à nul autre, ni à lui-même, ni à un autre, mais *uni* (ἑνούμενος), selon un mode supérieur, à Celui qui est complètement inconnaissable par la suspension de toute connaissance et, par le fait qu'il ne connaît rien, *connaissant* au-delà de l'intellect[69].

Dans le *Prologue*, la Ténèbre était définie comme : « *Ténèbre plus que lumineuse du silence* »[70], ici, comme « *Ténèbre réellement mystique de l'inconnaissance* »[71], ailleurs comme « *Ténèbre suressentielle* »[72], « *Ténèbre où se trouve réellement Celui qui est au-delà de tout* »[73], ou encore « *Ténèbre qui est au-dessus de l'intellect* »[74].

L'entrée dans la Ténèbre est caractérisée par un redoublement de la négation qui n'est plus seulement négation de ce qui et vu ou connu, mais suspension (ἀνενεργησία) du voir et du connaître.

Quant à Moïse, « il *se trouve* en ce qui est totalement impalpable et invisible, *appartenant tout entier à Celui qui est au-delà de tout* (πᾶς ὢν τοῦ πάντων ἐπέκεινα), et à nul autre, ni à lui-même, ni à un autre... ». Le divin *éros* n'est donc pas absent de l'extase de Moïse, et l'union à *Celui qui est au-delà de tout* est elle-même ténébreuse.

4. La tradition mystique de la Ténèbre

Il serait trop long de faire l'histoire de la « tradition », pour reprendre le mot de Puech, de la « Ténèbre » et de l'extase. Je voudrais seulement indiquer, en passant, que l'expression « sortir de tout et de soi-même » qui vient de Denys et de nul autre avant lui (ni Plotin, ni Grégoire de Nysse), se retrouve, avec ou sans médiations, chez Jean de la Croix pour qui l'âme doit « sortir de tout et d'elle-même » (*salir de todo y de si misma*)[75] et que la Ténèbre est l'ultime symbole pour dire la transcendance divine.

---

69 MT 1,3 : PG 3, 1001A.
70 MT 1,1 : PG 3, 997B.
71 MT 1,3 : PG 3, 1001A.
72 MT 2 : PG 3, 1025B.
73 MT 1,3 : PG 3, 1000C.
74 MT 3 : PG 3, 1033B.
75 CA 1,1 : *Jean de la Croix*, Œuvres complètes (Paris 1990) 359.

La Ténèbre suppose une théologie de la transcendance divine, commune aux Juifs et aux Chrétiens, cependant l'affirmation de la transcendance divine suppose des « théologies » différentes, comme celles de Moïse Maïmonide ou de Thomas d'Aquin.

III. La théologie négative et le silence

Denys se situe dans la tradition patristique des *Commentaires de l'Exode,* mais également dans celle, philosophique, des *Commentaires du Parménide* de Platon, par Porphyre ou Proclus et c'est grâce à ces *Commentaires* qu'il a élaboré sa doctrine de la théologie négative et des trois voies.

1. La théologie négative et les trois voies

a) Parménide

Platon, dans le *Parménide*, se lance dans un « jeu dialectique » où il propose différentes « hypothèses » sur l'Un. La première, « Si L'Un est Un », conduit à l'ineffabilité pure, la seconde, « Si l'Un est », permet la prédicabilité du premier principe. Porphyre, le disciple de Plotin, dans son *Commentaire du Parménide*[76], a unifié la première et la seconde hypothèses qui, toutes deux, concernent le premier Principe. Le néoplatonisme chrétien, Denys l'Aréopagite et ceux qui parlent d'une « suressentialité » de l'être divin, a adopté la doctrine de Porphyre : Dieu est à la fois la Cause suressentielle, dont on ne peut rien dire, et la Cause efficace, dont on peut parler à partir de ses effets et à qui l'on peut attribuer la multitude des noms divins. Le traité sur la *Théologie mystique* correspond plutôt à la première hypothèse, celui sur les *Noms divins*, à la seconde.

En considérant l'histoire de la pensée, il me semble remarquable et même émouvant que les « jeux dialectiques » du vieux Platon aient permis de rendre compte de l'expérience mystique de Chrétiens qui à la fois contemplent Dieu à travers ses multiples perfections et rentrent dans le silence qui seul honore sa transcendance.

---

76 *Porphyre*, In Parm., in : P. Hadot, Porphyre et Victorinus, II (Paris 1968) 64-113. *P. Hadot* considère que ce commentaire est de Porphyre.

b) Denys l'Aréopagite

Denys a repris la théologie négative du platonisme et du néoplatonisme. L'ascension vers le Beau, dans le *Banquet,* ce que l'on a appelé la *scala amoris,* et l'ascension vers le Bien, de la *République,* supposent cette négation progressive du sensible et de l'intelligible pour atteindre le Premier Principe, le Bien-Beau. C'est la « voie royale » de la transcendance.

Mais la négation elle-même a changé de sens : alors que l'ἀπόφασις, la négation, s'oppose à la κατάφασις, l'affirmation, comme l'opposition de deux contraires, chez Platon ou Plotin comme encore chez Grégoire de Nysse, Denys emploie le terme ἀφαίρεσις[77], défini par Proclus, qui est une négation qui va au-delà de ce qu'elle nie : elle est suppression et dépassement de ce qu'elle nie, comme dans la « *Aufhebung* » hégélienne. Dès lors, les trois voies de l'affirmation, de la négation et de l'éminence ou de la suréminence, s'articulent autour de la négativité. Dieu est lumière, et la lumière est un attribut divin, mais il n'est pas lumière, comme la lumière sensible ou intellectuelle, parce qu'il est au-delà de la lumière, Source et plénitude de lumière.

La négation ne doit pas alors être comprise selon la privation (κατὰ στέρησιν), mais, comme dans le cas de la Ténèbre, selon la transcendance ou l'éminence (καθ' ὑπεροχήν). C'est pourquoi, Denys dans la *Lettre 5,*

---

77   Le terme ἀφαίρεσις (cf. DN 1,5 ; 2,3 ; 2,4 ; 4,3 ; 4,7 ; 7,3 : PG 3, 593C ; 640B ; 641A2 ; 697A ; 704B ; 872A; MT 1,2 ; 2 ; 3 ; 5 : PG 3 : 1000B ; 1025AB ; 1033C2 ; 1048B3) indique le mouvement d'écarter *(remotio)*, de retrancher ou d'enlever quelque chose *(Platon,* Critias 46c). Il est opposé à πρόσθεσις, action de poser *(Plutarque,* Lycurgue 13,2,4-5 : B. Perrin, I, Cambridge, MA, 1914). C'est un terme de mathématiques – *Aristote* oppose l'ἀφαίρεσις à la πρόσθεσις, dans Metaphysique I,2 (982a28) comme la « soustraction » à l' « addition » –, et aussi un terme de logique : ἐξ ἀφαιρέσεως signifie « par abstraction » dans les Seconds Analytiques I (18,7) d'*Aristote*, et c'est ce sens qui a été repris par beaucoup de traductions latines qui traduisent ἀφαίρεσις par *abstractio.* Ici, ἀφαίρεσις s'oppose à θέσις comme la négation à l'affirmation, mais il se distingue aussi de l'ἀπόφασις qui signifie également négation. L'ἀφαίρεσις est une négation transcendante (ἀφαίρεσις en DN 2,3 : PG 3, 640B), à la différence de l'ἀπόφασις, qui s'oppose, sur le même plan, à l'affirmation, κατάφασις. Dans certains passages, le terme ἀφαίρεσις a à la fois le sens concret de « retranchement » ou « suppression » *(ablatio)* et le sens abstrait de négation *(negatio). Thomas d'Aquin* a noté les deux sens concret et abstrait d'ἀφαίρεσις qu'il traduit, plutôt au début de sa vie, par *remotio* et, ensuite, par *negatio.* J. *Vanneste* propose de traduire par « *négation abstractive* » (cf. J. Vanneste, Le Mystère de Dieu. Essai sur la structure rationelle de la doctrine mystique du Pseudo-Denys l'Aréopagite, Brussels 1959, 65-70).

à Dorothée, ministre, définit la « ténèbre » comme « *Lumière inaccessible* » (φῶς ἀπρόσιτον), selon la doxologie de la *Première Épître à Timothée.*

La Ténèbre divine est cette « *Lumière inaccessible* » où il est dit que « *Dieu habite* » (1 Tim 6,16). Et si l'excès même de sa clarté la rend invisible, si le débordement de ses effusions lumineuses et suressentielles la dérobent à tout regard, c'est en elle pourtant que naît quiconque est digne de connaître et de contempler Dieu. Et c'est par le fait qu'il ne le voit ni ne le connaît, que celui-là s'élève en vérité au-delà de toute vision et de toute connaissance. Ne sachant rien de lui sinon qu'il transcende totalement le sensible et l'intelligible, il s'écrie alors avec le prophète : « *Ta science est trop merveilleuse pour moi et elle dépasse tant mes forces que je n'y saurais atteindre* » (Ps 138[139],6). C'est bien en ce sens qu'on a dit du divin Paul qu'il a connu Dieu, parce qu'il a su que Dieu transcende tout acte d'intelligence et tout mode de connaissance[78].

La « Ténèbre » n'est que l'envers de la « *Lumière inaccessible* » et Moïse est inséparable de Paul.

c) Thomas d'Aquin

Cependant la doctrine des trois voies n'arrivera à son point d'équilibre qu'avec Thomas d'Aquin. Celui-ci, dans son *Commentaire des Noms divins,* reste proche de Denys, parlant de la négation comme « *remotio* »[79], terme qui fait penser à l'image plotinienne du sculpteur « écartant » ou « repoussant » les blocs de marbre pour faire apparaître la forme de la statue, image reprise par Denys dans sa *Théologie mystique*[80]. Mais ce sont les objections de Maïmonide qui conduiront Thomas d'Aquin à définir plus précisément, dans la *Somme théologique,* la voie d'éminence. Dans sa critique de Maïmonide, Thomas d'Aquin[81] montrera que l'apophatisme radical ruine la possibilité même d'un langage sur Dieu. Certes Dieu reste inconnu dans son essence, en tant qu'il est suressentiel, cependant il ne peut être totalement inconnu.

---

78 Ep. 5 : PG 3, 1073A. Traduction de *Maurice de Gandillac,* Œuvres complètes du Pseudo-Denys l'Aréopagite (Paris 1943) 330.

79 Cf. *Y. de Andia, Remotio* et *negatio* chez Thomas d'Aquin, AHDL 68 (2001) 45-71 ; repris dans : Y. de Andia (éd.), Denys l'Aréopagite. Tradition et métamorphoses, 185-211.

80 MT 2 : PG 3, 1025B.

81 Cf. *A. Osorio-Osorio,* Maïmonides : El lenguaje de la teología negativa sobre el conocimiento de Dios, in : Sprache und Erkenntnis im Mittelalter, Miscell. Mediaev. 13,2 (Berlin – New York 1981) 912-920 ; *A. Wohlman,* Thomas d'Aquin et Maïmonide. Un dialogue exemplaire (Paris 1988) 131 : § 3 Théologie négative et analogie.

d) L'au-delà de la théologie négative

Il y a deux excès « l'idole et la distance », pour reprendre le titre du livre de J.-L. Marion sur Denys[82] : « l'idolâtrie » réduit Dieu à la représentation d'un étant, d'un ceci ou d'un cela, mais « la distance », si elle est comprise comme un apophatisme radical, ruine la théologie négative elle-même en tant que possibilité d'un discours sur Dieu. Car si la dénonciation de l'idolâtrie est la dénonciation d'une pensée – ou plutôt d'une imagination – qui se veut maîtresse du discours sur Dieu, il y a un autre danger que les dénonciateurs de l'idolâtrie ont moins vu, c'est la destruction du langage lui-même. La théologie négative en tant qu'elle est encore une « *théo-logie* » évite les deux écueils de la réduction de Dieu à une représentation idolâtrique et de la ruine de la possibilité d'un discours sur Dieu.

La *Théologie mystique* s'achève par deux chapitres sur la négation des sensibles et des intelligibles : « *Qu'il n'est rien de sensible Celui qui est cause par excellence de tout le sensible* » (chapitre IV) et : « *Qu'il n'est rien d'intelligible Celui qui est cause par excellence de tout l'intelligible* » (chapitre V) –, et cette double négation est analogue à la montée (*anabase*) du Sinaï par Moïse, vers le Premier Principe, Dieu qui est « *l'Au-delà de tout* » au-delà de l'affirmation comme de la négation :

> Elle n'est rien de ce qui n'est pas et rien de ce qui est et les êtres ne la connaissent pas pour ce qu'elle est elle-même et elle ne connaît pas non plus les êtres en ce qu'ils sont êtres. Et il n'y a d'elle ni parole, ni nom, ni connaissance, elle n'est ni obscurité, ni lumière, ni erreur, ni vérité. Il n'y a absolument à son sujet ni affirmation, ni négation, mais, en posant des affirmations et des négations de ce qui vient à sa suite, nous ne l'affirmons ni nous ne la nions, puisque la Cause parfaite et unitaire de tout est au-delà de toute affirmation et qu'est audelà de toute négation la transcendance de Celui qui est absolument détaché de tout et qui est au-delà de tout[83].

La transcendance divine (ἡ ὑπεροχή) est au-delà de l'affirmation comme de la négation, cela signifie que la théologie négative elle-même est dépassée par la Cause qui est au-delà de la négation et de la position. Il ne peut y avoir une idolâtrie de la voie négative qui serait symétrique à l'idolâtrie de la position des étants.

---

82   *J.-L. Marion*, L'idole et la distance. Cinq études (Paris 1977).
83   MT 5 : PG 3, 1048A-B.

C'est bien le sens du chapitre V :

  – « *Nous n'affirmons rien et ne nions rien,*
  – *car la Cause unique est au-delà de toute affirmation*
  – *et la transcendance au-delà de toute négation* »[84].

Il y a un redoublement de la négation et de la transcendance :

  – négation du fait d'affirmer quelque chose
  – négation du fait de nier quelque chose.

On passe du « *ni...ni...* » au « *rien* ».

Que signifie ce « rien » ? C'est là l'ultime interrogation de la théologie négative dans son dépassement d'elle-même. Ce rien est l'envers de l'au-delà. C'est la même chose de dire : « la Cause est *au-delà* de la négation et de la position » ou de dire « nous n'affirmons *rien* et ne nions *rien* ». Le « rien » signifie que nous ne pouvons pas affirmer ou nier la Cause transcendante comme si elle était un « quelque chose », et parler de Celle qui est supérieure à l'être (ὑπερούσιος) comme d'un étant (ὄν). Le caractère *absolu* de l'affirmation finale de la théologie négative de Denys – « *nous n'affirmons ou ne nions rien* » – *pose* la transcendance absolue de la Cause qui est ὑπερούσιος, sans annuler la théologie négative.

e) La postérité de la théologie négative

La théologie négative ne vient pas de Denys. Elle a été développée par les Cappadociens contre l'arianisme dans leurs traités *Contre Eunome* (Basile et Grégoire de Nysse) et au sein de la liturgie aussi bien de saint Basile que de saint Jean Chrysostome. La longue préface de la *Liturgie de saint Basile* est une longue litanie des attributs négatifs de Dieu : il est « invisible », « ineffable », « incompréhensible », etc. Le traité de saint Jean Chrysostome sur « *l'incompréhensibilité de Dieu* » prolonge la doctrine des Cappadociens, comme sa liturgie fait également place à une doxologie négative : dès lors la théologie négative trouve sa place dans la prière de l'Église elle-même. À la suite des Cappadociens et de Denys, Vladimir Lossky dit, dans son livre *Essai sur la théologie mystique de l'Église d'Orient* (1944), que la théologie négative est « le caractère foncier de toute la tradition théologique de l'Église d'Orient »[85] et cite la *Théologie mystique* de Denys l'Aréopagite comme texte fondateur.

---

84 MT 5 : PG 3, 1048B.
85 *V. Lossky*, Essai sur la théologie mystique de l'Église d'Orient (Paris 1944) 24.

Ce même Vladimir Lossky a voulu tracer un parallèle entre l'Orient et l'Occident dans sa thèse inachevée *Théologie négative et connaissance de Dieu chez Meister Eckhart* (publiée après sa mort, par É. Gilson en 1960)[86]. Maître Eckhart attribue au « fond » (*Grund*) de Dieu les mêmes caractères de la théarchie dionysienne : il est « sans nom », « inexprimable » et l'âme, en lui, est « aussi inexprimable que lui »[87]. Car Dieu est à la fois *puritas essendi*[88] et pourtant *aliquid altius ente*[89], car non seulement « l'être dans sa cause n'est pas être », mais Dieu « dépasse autant toute essence que l'ange le plus élevé dépasse une mouche »[90].

2. Le silence[91]

a) Le néoplatonisme

L'au-delà de la théologie affirmative et négative conduit au silence. Le silence a une grande place dans la philosophie néoplatonicienne, ce qu'il n'a pas chez Aristote, car il y a un « au-delà de la parole » ou une absence de parole (ἀλογία), comme il y a un « au-delà de l'être ».

Dans la *Théologie platoniciennne*, Proclus, après avoir montré « le voyage de l'âme sur la voie des négations », adresse un hymne au soleil levant[92]. L'échec de la négation elle-même force le philosophe au silence et à la prière[93]. Car un soupçon se lève au terme de la série de négations de la première hypothèse

---

86   Cf. *V. Lossky*, Théologie négative et connaissance de Dieu chez Maître Eckhart (Paris 1960) ; *Y. de Andia*, La théologie négative de Maître Eckhart, in : A. Dierkens, B. B. de Ryke (éd.), Maître Eckhart et Jan van Ruysbroeck (Bruxelles 2004) 53-70.

87   Pred. 17,289.

88   Quaestio Utrum in Deo 48.

89   Quaestio Utrum in Deo 47.

90   Pred. 9,145.

91   Sur le silence chez Denys (CH 15,9 : PG 3, 340B ; DN 1,3 ; 4,2 ; 4,22 : PG 3, 589B, 696B, 724B ; MT 1,1 : PG 3, 997B) voir *C. Pera*, La Teologia del Silencio di Dionigi il Mistico, Vita Cristiana 15 (1943) 267-276 (surtout p. 271-272) ; *Y. de Andia*, L'au-delà de la parole : le silence et l'Ineffable, à paraître dans les Actes du Colloque du Sacro Cuore de Milano en 2010.

92   Cf. L'hymne au Soleil, in : *Proclus*, Hymnes et prières, Traduction de H. D. Saffrey (Paris 1994) 21-25.

93   *Proclus*, Theol. plat. II,10 : Saffrey – Westerink 64,2-5 : « Il n'y a rien d'étonnant si, voulant faire connaître l'ineffable par un discours, on entraîne son discours dans l'impossible, puisque toute connaissance qui s'applique à un objet de connaissance qui ne la concerne pas, détruit sa propre force ».

du *Parménide* : puisqu'aucun discours ne convient à l'Un, le discours négatif au sujet de l'Un ne convient pas non plus à l'Un. Il ne reste alors que le silence qui conclut le commentaire de Proclus sur la première hypothèse du *Parménide* : *Silentio autem conclusit eam que de ipso theoriam*[94].

Mais le silence n'est pas seulement le silence de l'impossibilité de dire l'Ineffable, il est surtout « communion à l'Ineffable » (τοῦ ἀρρήτου μετουσία)[95] et célébration de l'Ineffable : « C'est par le silence (σιγή) qu'il faut célébrer son ineffabilité et sa causalité sans cause, supérieure à toutes les causes »[96], dit Proclus. C'est alors qu'il élève l'hymne au dieu « plus ineffable que tout silence ».

b) Denys l'Aréopagite

Si les *Noms divins* sont une grande « hymnologie » des attributs divins, la *Théologie mystique* est une « montée par les négations » (ἡ διὰ τῶν ἀποφάσεων ἄνοδος)[97], qui sont encore des paroles, vers l'absence même de parole (ἀλογία), et la seule « théologie » qui convienne à Dieu est, au-delà de l'affirmation et de la négation, l'effacement de toute parole dans le silence. La fin de l'apophatisme est le silence.

Le silence, bien loin d'être une absence de réponse divine, ressenti comme une privation, est au contraire le signe de sa plénitude (car lui aussi doit être compris non « selon la privation », κατὰ στέρησιν, mais « selon l'éminence », καθ' ὑπεροχήν) et de sa Bonté. Il y a une bonté du silence divin qu'il faut goûter dans l'adoration et le respect du mystère. Que la *Théologie mystique* s'achève par le silence qui est au-dessus de la théologie apophatique comme son point de fuite et la plénitude qui la surplombe, signifie que, dans la célébration de Dieu, les hommes et les anges, la hiérarchie céleste et la hiérarchie ecclésiastique, doivent être unis dans l'unité du silence qui est au-delà du langage humain. C'est la vie angélique qui est proposée aux théologiens mystiques, et l'entrée dans la Ténèbre est également une entrée dans le secret du sanctuaire où demeurent les anges. Le message angélique est d'abord une annonce de la « bonté du silence » divin :

> C'est d'elle (la Bonté fontale) que leur est concédée la forme de Bien et de manifester la Bonté cachée, d'être des anges en tant qu'annonciateurs du silence

---

94 *Proclus*, In Parm. VII : Cousin 76,6-7.
95 *Proclus*, Theol. plat. II,10 : Saffrey – Westerink 64,18-19.
96 *Proclus*, Theol. plat. II,9 : Saffrey – Westerink 58,23-24.
97 DN 13,3 : PG 3, 981B.
98 DN 4,2 : PG 3, 696B.

divin et d'être émis, comme de claires lumières interprètes de *Celui qui se tient dans le secret du sanctuaire*[98].

Les anges sont les « annonciateurs du silence divin » et il y a, selon Denys, une herméneutique angélique du silence divin. Dieu est *« Celui qui se tient dans le secret du sanctuaire* (ἄδυτον) »[99] entouré des anges, ses interprètes.

Le silence est aussi une forme de prière dans le néoplatonisme et joue un grand rôle dans l'ascèse et la mystique chrétienne[100]. La *Théologie mystique* s'achève dans l'invocation de « Celui qui est au-delà de tout », comme l'hymne que l'on a attribué à Grégoire de Nazianze ou à Proclus, ou encore au Pseudo-Denys[101] lui-même :

> Toi qui es au-delà de tout, est-il permis de te chanter autrement ?
> Une parole peut-elle te célébrer ? Non, car tu ne peux être dit par aucune.
> Seul, Tu es indicible, puisque tout ce qui est dit vient de Toi.
> Un esprit peut-il Te connaître ? Non, car Tu ne peux être saisi par aucun.
> Seul, Tu es inconnaissable, puisque tout ce qui est connu vient de Toi…
> Tout ce qui est te prie,
> Et vers Toi, tout être qui pense ton univers
> fait monter un hymne de silence.

L'hymnologie des *Noms divins* s'achève par l'« hymne de silence » de la *Théologie mystique*.

IV. Conclusion : ouverture à l'Asie

Je voudrais conclure sur une nouvelle ouverture de cette tradition mystique dionysienne : le dialogue avec les religions et particulièrement avec l'Asie.

Dans une catéchèse sur Denys l'Aréopagite que Benoît XVI a faite, dans le cadre de ses catéchèses sur les Pères de l'Église des audiences du Mercredi matin, il dit :

---

99   Sur le sanctuaire (ἄδυτον) chez *Denys*, voir EH 3,3,2 : PG 3, 428C : « les vestibules des sanctuaires » ; DN 4,22 : PG 3, 724B ; Ep. 8 : PG 3, 1088B ; 1088D. Sur la contemplation dans le sanctuaire chez *Plotin*, Enn. I,6 (1), 8,22-26 ; VI,9 (9), 11,1-4.

100 Cf. *H. Koch*, Pseudo-Dionysius, 108-134 et 198-260 ; *O. Casel*, De philosophorum græcorum silentio mystico, Religionsgeschichtliche Versuche und Vorarbeiten 16,2 (Gießen 1919) 144-152.

101 L'hymne à Dieu attribué à *Grégoire de Nazianze* (Carmen 29 : PG 37, 508A), et aussi au philosophe *Proclus*, serait un simple résumé poétique des Noms divins.

Il existe aujourd'hui un nouveau côté actuel de Denys l'Aréopagite : il apparaît comme un grand médiateur dans le dialogue moderne entre le christianisme et les théologies mystiques de l'Asie, dont la caractéristique la plus connue est la conviction qu'on ne peut pas dire qui est Dieu ; on ne peut parler de Lui que sous forme négative ; on ne peut parler de Dieu qu'avec le « ne pas », et ce n'est qu'en entrant dans cette expérience du « ne pas » qu'on Le rejoint. On voit ici une proximité entre la pensée de l'Aréopagite et celle des religions asiatiques : il peut être aujourd'hui un médiateur comme il le fut entre l'esprit grec et l'Évangile. On voit ainsi que le dialogue n'accepte pas la superficialité. C'est justement quand quelqu'un entre dans la profondeur de la rencontre avec le Christ que s'ouvre également le vaste espace pour le dialogue[102].

Denys l'Aréopagite a une vocation de « médiateur », à son époque, médiateur « entre l'esprit grec et l'Évangile », comme à la nôtre, « grand médiateur dans le dialogue moderne entre le christianisme et les théologies mystiques de l'Asie ». On a assez reproché à Denys d'être plus grec que chrétien (et il est intéressant de voir que ces critiques viennent d'une certaine conception du rapport de la raison et de la foi après la Réforme), or c'est précisément par son côté grec qu'il trouve un écho dans les religions asiatiques qui soulignent la *via negationis*. Cela n'a pas échappé au Pape Benoît XVI qui, dans son trop célèbre et trop peu lu « discours de Ratisbonne », montre que la raison grecque est inhérente au développement du Christianisme depuis que le Nouveau Testament a été écrit en grec. Le discours de saint Paul sur l'Aréopage garde toute son actualité, même et surtout si son échec fait apparaître « *le scandale* » et « *la folie* » du « *Christ crucifié* » (1 Co 1,23), « Folie » qui, pour Pseudo-Denys, n'est que la forme éminente de la « Sagesse », comme la « Ténèbre » est celle de la « *Lumière inaccessible* ».

Un prêtre de Lyon, Jules Monchanin, ami du Père Henri de Lubac et témoin du renouveau patristique de *Sources Chrétiennes,* a tenté ce dialogue difficile du Christianisme et de l'Hindouisme en partant fonder, avec le Père Henri Le Saux, le premier ashram chrétien en Inde. Dans une page éblouissante, écrite comme *Préface* du livre à paraître d'Henri Le Saux, *Guhantara (*ce qui signifie « l'intérieur de la caverne », la « grotte » ou le « creux » ou encore la « cavité du cœur »), et publiée dans le recueil de ses *Écrits et inédits,* intitulé *Mystique de*

Cf. *H. M. Verhahn, Dubia* und *spuria* unter den Gedichten Gregors von Naziang, StPatr 7 (1966) 345 ; *M. Sicherl,* Ein neuplatonischer Hymnus unter den Gedichten Gregors von Naziang, in : Gonimos. Neoplatonic and Byzantine Studies presented to L. G. Westerink at 75 (Buffalo, NY, 1988) 61-83.

102   Mercredi 14 mai 2008.

l'Inde, mystère chrétien, il trace la voie de ce dialogue et cette « voie » est celle de la *via negationis* :

> Aujourd'hui à cet humble stage de balbutiements, il semble à ceux qui ont écouté la parole que, d'époque en époque, l'Inde se dit à elle-même, que sa voie propre est celle de l'*apavada,* de l'apophatisme, – celle du mystère –, et qu'il y a une connaturalité et une sorte de congénialité entre ses docteurs et ses sages et les métaphysiciens et les mystiques de la théologie négative.
>
> ... Le Pseudo-Denys[103] ... proposait une théologie à trois moments : positive, négative, suréminente. Au moment de la positivité, la doctrine sacrée affirme de Dieu des attributs spirituels : c'est le plan que l'Inde nomme *sa-guna,* et Dieu est *Isvara,* Seigneur, conçu qu'Il est dans sa relation avec l'âme et le monde. Au moment de la négativité, le penseur mystique rejette, d'un geste hardi, tout ce que, de son Dieu, il avait osé affirmer. Saisi par sa Transcendance, et au risque d'oublier son Immanence, il dit, parce qu'il le sait et l'expérimente en creux, que la Déité n'est rien de ce qui se pense et de ce qui s'éprouve. Seule la négation totale, et comme éperdue, convient à cet Un, au-dessus de l'essence et du nombre, à ce Seul à jamais inaccessible, impénétrable : c'est le plan que l'Inde nomme *nir-guna,* du *neti-neti* (ni ainsi, ni ainsi, des *Upanishads*[104]) du *Kevala* (de l'Esseulé de Sankara). Autour de l'intelligence, intuitive, aussi bien que discursive, la ténèbre s'épaissit ; c'est, ici et là, le non-Savoir, la pure agnosie.
>
> Tel n'est point cependant le terme final. Le contemplateur du mystère comprend que le mystère surplombe encore de toute part sa contemplation négative elle-même. Ses négations ne sont-elles point des affirmations que sa dialectique a renversées du pour au contre, des finitudes encore, bien que marquées du signe « moins »[105] ? Il y a un au-delà de l'apophatisme, – un au-delà du *neti-neti,* du *nir-guna ... atita*[106] pur ...
>
> Par-delà le XIIIe siècle, le XIVe retrouvera ces irrespirables altitudes. Eckhart vivra et pensera à la fois, l'incommunicable et l'impensable. Ruysbroeck élaborera la théologie de la suressence de l'âme : exemplarisme augustinien que la voie négative a purifié sans reste[107]. Jean de la Croix au XVIe

---

103 Sur Pseudo-Denys (*ens diffusivum sui*) voir *J. Monchanin,* La création, Écrits spirituels (Paris 1965) 152.

104 Formule de la *Brhad-aranyaka-upanishad* (II, 3, 6), expression de l'*apavada.*

105 Cf. le chapitre à la fois liminaire et final sur le « Père » dans Le Paraclet de *Boulgakof* (Paris 1946) 347-376 (note de J. M.).

106 *Attita* = « passé au-delà ».

107 Sur la mystique trinitaire de *Ruysbroeck,* cf. les pénétrantes analyses du *P. Henry,* La mystique trinitaire du Bienheureux Jean Ruusbroec, in : Recherches de science religieuse 40 (1952) (= Mélanges Jules Lebreton, t. II).

siècle, théologien plus classique, mais non moins hardi, retrouvera ce dépassement dans des poèmes où s'exprime, mieux sans doute qu'en ses commentaires
savants, la pureté de son expérience ultime, chantera la *nuit* transmuée en *feu,* la
nuit du non-savoir transsubstantiée dans le Feu du Mystère Trinitaire (le *neti*
transvalué en l'*attita* de l'éternelle '*vac*' dira peut-être un jour l'Inde devenue
chrétienne par le dedans! *Guhantara*) »[108].

Jules Monchanin convoque les grands représentants de la mystique apophatique : les néoplatoniciens : Plotin, Porphyre et même Damascius –, Denys
l'Aréopagite, Jean Scot, le traducteur de Denys qui a introduit Denys en
Occident, les mystiques rhénans : Eckhardt, Tauler et Suso –, et flamands :
Hadewijk et Ruysbroeck –, et enfin saint Jean de la Croix. Et les notes de Monchanin nous indiquent, comme autant de gloses·marginales, les commentaires
de ses contemporains : les Pères jésuites Pierre Rousselot et Paul Henry, les
Orthodoxes Serge Boulgakof et Vladimir Lossky –, à travers lesquels il
comprenait cette grande tradition mystique. C'est le continent spirituel européen
qu'il « transmet » au continent spirituel asiatique, mais seul l'Esprit Saint peut
réaliser cette « tradition ».

---

108 *J. Monchanin*, Mystique de l'Inde, mystère chrétien. Écrits et inédits (Paris 1974) 271-
273.

Übernahme und Umdeutung der neuplatonischen Metaphysik der „gestuften Transzendenz" bei Dionysios

Václav Němec (Prag)

In meinem Vortrag werde ich mich mit der dionysischen Theologie der göttlichen Namen befassen, oder genauer gesagt: mit dem ihr zugrunde liegenden metaphysischen Konzept. Dabei versuche ich zu zeigen, dass Dionysios' metaphysische Auffassung, die die spekulative Grundlage seiner affirmativen Theologie bildet, als eine scharfsinnige Umdeutung des proklischen metaphysischen Systems zu verstehen ist. Um das von Proklos entnommene metaphysische Denkmodell, das eine Mehrzahl von hierarchisch gestuften göttlichen Wesen oder Hypostasen annimmt, mit dem christlichen Weltbild kompatibel zu machen, das nur die Differenz zwischen dem einen Gott und seinen Geschöpfen zulässt, modifiziert Dionysios seine Quelle wesentlich, indem er die Anzahl der Seinsstufen drastisch reduziert. Als entscheidendes Mittel zu dieser Umdeutung wendet er aber nichts anderes als die von Proklos selbst stammende Theorie der Kausalität und der Partizipation an, durch die Proklos selbst das Problem der kausativen Verhältnisse von verschiedenen Seinsebenen in seinem hierarchisch gestuften Universum löst. Mit anderen Worten: Dionysios gebraucht die proklische Theorie der Kausalität, um den neuplatonischen hierarchischen Polytheismus sozusagen mit seinen eigenen Waffen zu besiegen.

I. Göttliche Namen und „Partizipationen"

Für die dionysische Gotteslehre ist bekanntlich eine Art „Dialektik" der negativen und der affirmativen Theologie kennzeichnend und konstitutiv. Die negative Theologie reflektiert auf der Ebene der menschlichen Sprache die

Transzendenz und die Unzugänglichkeit der Thearchie für menschliche Erkenntnis. Der Grund dieser Unzugänglichkeit besteht darin, dass menschliches Erkenntnisvermögen auf das Seiende in seiner Gegenständlichkeit und Differenziertheit wesentlich hingeordnet und folglich zum Erfassen des Göttlichen unfähig ist, das als das „Überseiende" jenseits von allem Seienden[1] und als die „Übergeeinte Einheit" (ἡ ὑπερηνωμένη ἐνάς) charakterisiert wird.[2] Wie ist unter diesen Voraussetzungen eine affirmative Theologie überhaupt möglich? Auf diese Frage gibt Dionysios folgende Antwort: Positive Aussagen über das unbenennbare und unerkennbare Göttliche sind deshalb möglich, da dieses die Ursache von Wirkungen ist, die sich im kreatürlichen Seienden manifestieren und aus denen man auf es als ihre Ursache zurück schließen kann. Demgemäß wird die Thearchie schon in der Heiligen Schrift mit vielen „Gott angemessenen Namen" als Ursache von Seienden gepriesen.[3] Noch deutlicher verrät Dionysios den spekulativen Hintergrund seiner affirmativen Theologie im folgenden Satz: „Du wirst finden, dass ... der gesamte ehrwürdige Lobgesang der Theologen die Gottesnamen ... im Hinblick auf die wohltätigen Hervorgänge der Thearchie darbietet."[4] Die metaphysische Grundvoraussetzung von positiven Aussagen über das Göttliche bildet demnach die Tatsache, dass das Göttliche nicht nur in sich selbst verharrt, sondern als das Gute auch aus sich selbst hervorgeht und dabei das Sein sowie andere Gaben seinen Geschöpfen mitteilt. Die Thearchie ist zwar an sich eine „über-seiende" und „über-geeinte Einheit" und als solche verweilt sie in ihrer Transzendenz und Unzugänglichkeit, sie differenziert sich aber zugleich in ihren „wohltätigen Hervorgängen" (ἀγαθουργοὶ πρόοδοι), entfaltet sich in eine Vielheit hinein und lässt so eine Art Unterscheidung (διάκρισις) hervortreten, die für menschliches Erkennen und Aussagen bereits fassbar ist. Die unmittelbaren Wirkungen oder die primären Unterscheidungen, die den „wohltätigen Hervorgängen" entspringen, nennt Dionysios nun „Mitteilungen" (μεταδόσεις), „Gaben" (δωρεαί), „Kräfte" (δυνάμεις) oder auch „Teilnahmen" (μετοχαί).[5] Das Göttliche kann gerade aufgrund dieser seiner Wirkungen und Differenzierungen erfasst und benannt werden, durch die es in

---

1   DN 1,4: B. R. Suchla, PTS 33 (Berlin 1990) 115,16-18.
2   DN 2,1: PTS 33, 122,13.
3   DN 1,4: PTS 33, 113,3.
4   DN 1,4: PTS 33, 112,8-10: Καὶ πᾶσαν, ὡς εἰπεῖν, τὴν ἱερὰν τῶν θεολόγων ὑμνο-
     λογίαν εὑρήσεις πρὸς τὰς ἀγαθουργοὺς τῆς θεαρχίας προόδους ... τὰς θεωνυμίας
     διασκευάζουσαν.
5   Vgl. Y. de Andia, Henosis. L'Union à Dieu chez Denys l'Aréopagite, Philosophia antiqua
     71 (Leiden 1996) 69-70.

den Bereich des kreatürlichen Seienden hineinstrahlt.[6] Genau genommen sind es gerade diese Wirkungen, die den Weg für die theologische Erkenntnis und die theologische Sprache eröffnen, in deren Rahmen eine ganze Reihe von „intelligiblen Namen" (αἱ νοηταὶ θεωνυμίαι)[7] über die Thearchie ausgesagt werden kann. Wenn man jedoch solche Aussagen macht, muss man sich dessen bewusst sein, dass unsere Erkenntnis und unsere Aussagen gerade nur diese Mitteilungen oder Kräfte betreffen, die uns vom Göttlichen her entgegenkommen, und nicht das Göttliche selbst, das für menschliche Erkenntnis und menschliche Sprache prinzipiell unzugänglich bleibt.[8] Deswegen ist die affirmative Theologie auf die kritische Funktion der negativen Theologie immer angewiesen.

Da die erwähnten göttlichen Auswirkungen und Entfaltungen in die kreatürliche Welt hinein als „Teilnahmen" oder „Partizipationen" aufgefasst werden, scheint es nahe liegend zu sein, das Göttliche als Archetyp aufzufassen, an dem Geschöpfe teilhaben.[9] Und Dionysios betont auch gelegentlich, dass alle Vollkommenheiten, die man als Spur Gottes im geschaffenen Seienden entdeckt, auf ihn als Inbegriff von allen Urbildern zurückzuführen sind.[10] Dieser Inbegriff von Urbildern wird aber zugleich mit der transzendenten „über-seienden" und „über-geeinten Einheit" gleichgesetzt, in der die betreffenden intelligiblen Attribute auf eine unvergleichbar erhabenere Weise anwesend sind. Die Inkommensurabilität der Thearchie mit dem verursachten Seienden veranlasst Dionysios sie als „nicht partizipierbar" (ἀμέθεκτον) zu bezeichnen. Die Geschöpfe partizipieren eigentlich nicht an der Gottheit selbst, sondern nur an ihren wohlgütigen Hervorgängen. Dieses Verhältnis wird in der folgenden paradoxen Formulierung ausgedrückt: „aufgrund der Partizipationen und der Partizipierenden wird das gepriesen, woran auf eine nicht partizipierbare Weise partizipiert wird".[11] Man sieht folglich, dass neben dem teilhabenden Seienden

---

6   Vgl. E. von Ivánka, Plato Christianus. Übernahme und Umgestaltung des Platonismus durch die Väter (Einsiedeln 1990) 230.

7   DN 1,8; 13,4: PTS 33, 121,6; 230,6.

8   DN 2,7: PTS 33, 131,5-13.

9   Vgl. F. O'Rourke, Pseudo-Dionysius and the Metaphysics of Aquinas, Studien und Texte zur Geistesgeschichte des Mittelalters 32 (Leiden 1992) 14.

10 DN 7,2; 7,3: PTS 33, 196,12-197,2; 197,20-198,3. Vgl. W. Beierwaltes, Dionysios Areopagites – ein christlicher Proklos?, in: T. Kobusch, B. Mojsisch (Hg.), Platon in der abendländischen Geistesgeschichte (Darmstadt 1997) 71-100, hier 77.

11 DN 2,5: PTS 33, 129,2-3: ἐκ τῶν μετοχῶν καὶ τῶν μετεχόντων ὑμνεῖται τὰ ἀμεθέκτως μετεχόμενα.

und seinem Urbild, an dem aber eigentlich nicht partizipiert werden kann, sich der Bereich von Partizipationen selbst herauskristallisiert, die einen besonderen ontologischen Status besitzen. Sie stellen sozusagen die partizipierten Aspekte der Thearchie dar. Gerade deswegen können sie auch als Grundlage für Aussagen der affirmativen Theologie dienen. Die Thearchie als solche bleibt aber nicht partizipierbar und wird nur in ihren wohlgütigen Hervorgängen partizipiert, deren Ursache sie ist und über die sie selbst hinausgeht. Deshalb entzieht sie sich auch letztendlich allen Namen, die von ihr aufgrund von Partizipationen ausgesagt werden können, und man muss ihr diese Namen folglich durch die negative Theologie wieder absprechen.

Es ist dennoch zu beachten, dass nicht alle Gottesnamen denselben Status haben. Am Anfang und am Ende der Reihe von Gottesprädikaten, wie sie in den einzelnen Kapiteln der Schrift *De divinis nominibus* behandelt werden, stehen „das Gute" (bzw. „der Gute") und „das Eine". „Das Gute" wird allerdings als „der vollkommene" und „alle Hervorgänge Gottes offenbarende Name" charakterisiert und von allen anderen insofern abgesondert,[12] als es gerade nicht einer bestimmten Teilnahme oder Mitteilung entnommen wird, sondern vielmehr sich auf die Thearchie als die „quellhaft" sich verströmende universale Ursache bezieht.[13] Dieser Name bringt vor allem die Tatsache zum Ausdruck, dass die Thearchie nicht in sich verschlossen bleibt, sondern aus sich selbst hervorgeht und ihre Gaben und Mitteilungen auf alles Seiende erstreckt. Diese Bewegung von Hervorgang und Ausstrahlung, in der sich die Güte der Ursache von allem manifestiert, ist der ermöglichende Grund von allen Vollkommenheiten, die der kreatürlichen Welt mitgeteilt werden. Dem Namen „das Gute" kommt deswegen ein bestimmter Vorrang vor den anderen Namen zu, weil die Güte der Thearchie die eigentliche Wurzel von allen wohlgütigen Hervorgängen, und so auch die tiefste Quelle von allen Teilnahmen ist, auf denen die anderen Namen gründen.[14]

Die ersten Gottesprädikate, die den primären Partizipationen entsprechen, sind „Sein", „Leben" und „Weisheit" („Denken", „Intellekt"), die in den Kapiteln 5-7 der Schrift *De divinis nominibus* thematisiert werden. Als die erste und ehrwürdigste von diesen primären Teilnahmen oder Gaben, die die Thearchie aus sich hervorbringt und in die kreatürlichen Seienden hineinstrahlt, wird

---

12   DN 3,1; 4,1: PTS 33, 138,1-2; 143,10-11.
13   Vgl. *W. Beierwaltes*, Dionysios Areopagites – ein christlicher Proklos?, 87.
14   Vgl. *Y. de Andia*, Henosis, 65.

explizit „das Sein an sich" (αὐτὸ καθ' αὐτὸ τὸ εἶναι) bezeichnet.[15] Alles
Seiende nimmt zuerst am Sein an sich teil, bevor es an den anderen Gaben
partizipiert. Vielmehr ist es so, dass auch die anderen Mitteilungen selbst am
Sein teilhaben, damit sie ins Dasein treten können.[16] Dabei betont Dionysios,
dass der Name „Sein" nicht „das überwesentliche Wesen" der Thearchie selbst
bezeichnet, sondern „den wesenschaffenden Hervorgang", durch den diese das
Sein als die primäre und grundlegende Vollkommenheit allen Seienden
mitteilt.[17] Gott kann „das Sein" oder „der Seiende" nur insofern genannt
werden, als er „die überwesentliche konstitutive Ursache des universalen Seins"
ist (ὅλου τοῦ εἶναι ὑπερούσιος ὑποστάτις αἰτία).[18] Das Göttliche selbst kann
also nicht als „das Seiende" im eigentlichen Sinne betrachtet werden, sondern
vielmehr als „das Vor-Seiende" oder „Über-Seiende", das das universale Sein
auf eine transzendente und geeinte Weise in sich vorwegnimmt und es durch
seinen wohlgütigen Hervorgang allen Seienden gewährt.[19] Ganz ähnlich verhält
es sich mit der weiteren Teilnahme oder Gabe, von der sich der folgende
Gottesname ableitet, nämlich mit dem Leben. Das Leben stellt eine weniger
universale Vollkommenheit als das Sein dar, da nur lebendige Wesen an ihm
teilhaben und seine Wirksamkeit sich dementsprechend nicht auf alles Seiende
erstreckt. Die Thearchie selbst kann allerdings auch „das Leben" nur im Sinne
„einer lebenschaffenden Ursache" genannt werden, die zuerst „das Leben an
sich" konstituiert und durch dieses das Leben allen Lebewesen schenkt.[20] Als
das transzendente Prinzip des Lebens geht die Thearchie selbst über das Leben
hinaus, das sie als eine ihrer höchsten Gaben der kreatürlichen Welt mitteilt,
während in ihr selbst das Leben nur auf eine ursächliche und geeinte Weise
präexistiert.[21] Noch weniger Universalität als dem Sein und dem Leben kommt

---

15 DN 5,5: PTS 33, 183,18-20: πρὸ τῶν ἄλλων αὐτοῦ μετοχῶν τὸ εἶναι προβέβληται,
    καὶ ἔστιν αὐτὸ καθ' αὐτὸ τὸ εἶναι πρεσβύτερον τοῦ αὐτοζωὴν εἶναι καὶ αὐτο-
    σοφίαν εἶναι...

16 DN 5,5: PTS 33, 183,20-184,1.

17 DN 5,1: PTS 33, 180,9-13: τῷ λόγῳ σκοπὸς οὐ τὴν ὑπερούσιον οὐσίαν, ἣ ὑπερ-
    ούσιος, ἐκφαίνειν ..., ἀλλὰ τὴν οὐσιοποιὸν εἰς τὰ ὄντα πάντα τῆς θεαρχικῆς
    οὐσιαρχίας πρόοδον ὑμνῆσαι.

18 DN 5,4: PTS 33, 182,18-20.

19 DN 5,4-5: PTS 33, 183,4-13.

20 DN 6,1: PTS 33, 190,3-5: ...ἐξ ἧς ἡ αὐτοζωὴ καὶ πᾶσα ζωὴ καὶ ὑφ' ἧς εἰς πάντα τὰ
    ὁπωσοῦν ζωῆς μετέχοντα τὸ ζῆν οἰκείως ἑκάστῳ διασπείρεται. DN 6,2: PTS 33,
    191,9-10: δωρεῖται μὲν πρῶτα τῇ αὐτοζωῇ τὸ εἶναι ζωὴ καὶ πάσῃ ζωῇ καὶ τῇ καθ'
    ἕκαστα τὸ εἶναι οἰκείως ἑκάστην, ὃ εἶναι πέφυκεν.

21 DN 6,3: PTS 33, 192,18-19: ...ἐν αὐτῇ κατ' αἰτίαν ἑνοειδῶς προϋφέστηκεν.

der Weisheit zu, da an ihr nur die vernunftbegabten und zur Sinneswahrneh-
mung fähigen Wesen teilhaben.[22] Auch in diesem Falle gilt, dass die Thearchie
„Weisheit" nur als „die überweise und allweise Ursache" bezeichnet wird,
welche „die Weisheit an sich, die universale Weisheit und die Weisheit von
allem Einzelnen schafft".[23] Gott ist „die Ursache jedes Intellekts, jedes Logos,
jeder Weisheit und jeder Einsicht"[24] und als solcher „verweilt er erhaben über
jeglichem Logos, jeglichem Intellekt und über aller Weisheit".[25]

Es kann hier nicht auf alle göttlichen Namen aus *De divinis nominibus*
detailliert eingegangen werden. Für unsere Zwecke reicht es, zwei wichtige
Punkte hervorzuheben: (1) Die erwähnten Partizipationen werden mit Hilfe von
der an Platons Ideenlehre erinnernden Terminologie charakterisiert. Die Wen-
dung „das Sein an sich", „das Leben an sich", „die Weisheit an sich" zeigen mit
aller Deutlichkeit, dass hier nicht bloße immanente Formen im Verursachten
gemeint sind, sondern etwas anderes, was gewissermaßen eine selbständige
Existenz unabhängig von seiner Wirkung besitzt. (2) Die Partizipationen
betreffen jedoch nicht die Thearchie selbst, sofern sie in sich verharrt. Von
dieser wird immer neu betont, dass sie über alle diese Bestimmungen
hinausgeht. Die Ausdrücke wie „das Sein an sich" können also auch nicht
einfach Ideen im göttlichen Intellekt bedeuten.

II. Proklos' hierarchisches System

Gerade an der dionysischen Verwendung der erwähnten Gottesprädikate, deren
Ursprung in der neuplatonischen Metaphysik unbestreitbar nachgewiesen
werden kann, dürfte deutlich werden, auf welche Weise und in welchem Aus-
maß Dionysios das neuplatonische – und insbesondere Proklische – metaphysische System modifiziert. Die zwei Gottesprädikate, die am Anfang und Ende
der ganzen Reihe stehen und denen ein bestimmter Vorrang unter den anderen
gebührt, nämlich „das Gute" und „das Eine", werden im nichtchristlichen
Neuplatonismus – Proklos eingeschlossen – sozusagen als Hoheitstitel der

---

22   DN 5,1: PTS 33, 181,1-6.
23   DN 7,1: PTS 33, 194,20-195,2: ...ἡ ὑπέρσοφος καὶ πάνσοφος αἰτία καὶ τῆς αὐτο-
     σοφίας καὶ τῆς ὅλης καὶ τῆς καθ' ἔκαστόν ἐστιν ὑποστάτις.
24   DN 7,1: PTS 33, 194,17-18: ...παντός ἐστι νοῦ καὶ λόγου καὶ πάσης σοφίας καὶ
     συνέσεως αἰτία...
25   DN 7,1: PTS 33, 193,9: ...παντὸς λόγου καὶ νοῦ καὶ σοφίας ὑπερίδρυται...

höchsten transzendenten Gottheit gebraucht. Die anderen drei Namen, die auf den ersten Hervorgängen oder Teilnahmen gründen, d. h. „Sein", „Leben" und „Weisheit" („Denken", „Intellekt"), entsprechen dagegen der neuplatonischen Dreiheit von höchsten intelligiblen Seinsprinzipien oder Strukturmomenten des göttlichen Intellekts[26] und sind folglich mit einer anderen – dem Einen ontologisch untergeordneten – Seinsebene verbunden. Im Einklang mit Plotin fasst auch Proklos die Glieder dieser Dreiheit als Strukturmomente auf, durch die die reflexive Bewegung des Intellekts beschrieben ist. Gerade aufgrund der Funktion, die das jeweilige Glied der Dreiheit im Rahmen des reflexiven Intellekts ausübt, bezeichnet Proklos das Sein als „das Gedachte" (τὸ νοητόν), den Intellekt im engeren Sinne als „das Denkende" (τὸ νοερόν) und das Leben als „das Gedachte und Denkende zugleich" (τὸ νοητὸν ἅμα καὶ νοερόν).[27] Im Unterschied zu Plotin begreift aber Proklos diese Struktur als ein hierarchisch gestuftes Gebilde, in dem die Momente oder Phasen des reflexiven Intellekts zu verschiedenen Seinsstufen einer hierarchischen Ordnung werden.[28] So wird die plotinische Nus-Hypostase in ein kompliziertes System von mehreren hierarchisch geordneten Stufen eingegliedert, dessen Grundstufen gerade das Sein, das Leben und das Denken (der Intellekt) bilden. Die jeweils höhere Stellung einer Vollkommenheit im Rahmen dieser Hierarchie ist durch ihre jeweils größere Universalität gewährleistet, die sich dadurch äußert, dass sie einen breiteren Wirkungsbereich hat. Dementsprechend steht auf der Spitze des hierarchischen Systems das Sein, während das Leben und der Intellekt (im engeren Sinne) eine niedrigere Seinsstufe einnehmen.[29]

Die auffallendste Modifikation der neuplatonischen Prinzipienlehre bei Dionysios besteht also offensichtlich darin, dass er die Gottesprädikate, die die Neuplatoniker den verschiedenen Stufen des Göttlichen zugesprochen haben, auf eine einzige Gottheit bezieht. Will man die dionysische Dialektik der negativen und affirmativen Theologie in den Kontext der neuplatonischen Auslegung des *Parmenides* einordnen, kann man auch sagen, dass Dionysios im Unterschied zu den Neuplatonikern, die die erste Hypothese auf das Eine und

---

26 Vgl. *P. Hadot*, Être, Vie, Pensée chez Plotin et avant Plotin, in: Les sources de Plotin. Entretiens sur l'Antiquité classique 5 (Vandœuvres – Genève 1960) 101-141, hier 111 ff.

27 Vgl. *W. Beierwaltes*, Proklos. Grundzüge seiner Metaphysik (Frankfurt a. M. 1979) 96-97.

28 Vgl. *W. Beierwaltes*, Proklos, 89-90.

29 Vgl. *K. Kremer*, Die neuplatonische Seinsphilosophie und ihre Wirkung auf Thomas von Aquin, Studien zur Problemgeschichte der antiken und mittelalterlichen Philosophie 1 (Leiden 1971) 234 ff.

die zweite auf den Intellekt bezogen haben, die Aussagen der ersten und zweiten Hypothese auf den einen Gott anwendet.[30] Dieser Zusammenhang wird insbesondere an Proklos' Interpretation des *Parmenides* deutlich, der als den Gegenstand der zweiten Hypothese u. a. gerade das gedachte Sein, das gedachte und denkende Leben und den denkenden Intellekt betrachtet.[31]

III. Proklos' Theorie der Kausalität und Partizipation

Es wäre allerdings voreilig, die dionysische Adaptation der neuplatonischen Metaphysik nur deswegen mit einer „unorthodoxen" Auslegung des *Parmenides* in Verbindung zu bringen, wie sie uns etwa im anonymen *Parmenides*-Kommentar aus dem Turiner Palimpsest begegnet, weil auch hier die beiden Hypothesen auf eine Gottheit angewandt werden, die sowohl das transzendente Eine als auch den reflexiven Intellekt einschließt.[32] Eine solche Parallele krankt daran, dass sie zu vage ist, und könnte vielmehr die Originalität der dionysischen Umgestaltung des Proklischen metaphysischen Konzeptes verschleiern. Um die denkerische Leistung des Dionysios und den spekulativen Kern seiner Transformation des heidnischen Neuplatonismus verstehen und einschätzen zu können, muss man sich die Proklische Theorie der Kausalität vergegenwärtigen. Nur auf diesem Hintergrund ist es möglich, den besonderen Status von Partizipationen bei Dionysios zu erklären, von denen die meisten Gottesnamen abgeleitet werden.

---

30 Vgl. *E. Corsini*, Il trattato de Divinis Nominibus dello Pseudo-Dionigi e i commenti neoplatonici al Parmenide (Turin 1962) 43-44; *W. Beierwaltes*, Dionysios Areopagites – ein christlicher Proklos?, 77; *S. Klitenic Wear, J. Dillon*, Dionysius the Areopagite and the Neoplatonist Tradition. Despoiling the Hellenes (Aldershot 2007) 28.

31 Vgl. *H. D. Saffrey, L. G. Westerink*, in: Proclus: Théologie Platonicienne, I (Paris 1968) LXIX; *C. Steel*, Le Parménide est-il le fondement de la Théologie Platonicienne?, in: A. Ph. Segonds, C. Steel (éd.), Proclus et la Théologie Platonicienne. Actes du Colloque International de Louvain (13-16 mai 1998). En l'honneur de H. D. Saffrey et L. G. Westerink (Leuven – Paris 2000) 375-398, hier 386-398.

32 Vgl. *S. Klitenic Wear, J. Dillon*, Dionysius the Areopagite and the Neoplatonist Tradition, 16; 26; 33-34; 45-48. Darüber hinaus wird hier der Verfasser des anonymen *Parmenides*-Kommentars mit Porphyrios identifiziert, ohne dass die Differenzen zwischen dem metaphysischen Konzept des Anonymus und dem des Porphyrios berücksichtigt werden, so wie dieses aufgrund von Fragmenten und Referenzen rekonstruiert werden kann.

Für Proklos' Theorie ist die Unterscheidung zwischen dem Begriff der Kausalität und dem der Partizipation kennzeichnend.[33] Die Ursachen werden aus dem Verhältnis der Partizipation herausgenommen, durch die ihr Verursachtes die betreffende Vollkommenheit erhält. Obwohl die jeweilige Ursache die eigentliche Quelle von Vollkommenheit darstellt, an der die Verursachten teilhaben, ist sie nicht mit dem identisch, woran diese Wirkungen partizipieren. Die Ursachen bleiben so transzendent und „inkommensurabel" mit dem Verursachten, wobei die betreffenden Vollkommenheiten, an denen diese teilhaben, nur „Hervorgänge", „Mitteilungen" oder „Kräfte" sind, die die Ursachen aus sich entspringen lassen und die sie in ein niedrigeres Seiendes hineinstrahlen. Neben der Ursache, die die eigentliche und ursprüngliche Quelle von niedrigerem Seienden oder einer bestimmten Vollkommenheit repräsentiert, aber selbst „nicht partizipiert" oder „nicht partizipierbar" (ἀμέθεκτον) bleibt, und dem partizipierenden Verursachten (μετέχον) tritt so im Rahmen jeder Kausalkette ein drittes Glied auf, nämlich „das Partizipierte" (μετεχόμενον), das zwischen „dem Partizipierenden" und „dem nicht Partizipierbaren" vermittelt. Das Verhältnis von jeder Ursache zu ihrer Wirkung kann so gerade mit Hilfe der Dreiheit „das nicht Partizipierte/bare" – „das Partizipierte" – „das Partizipierende" expliziert werden. Paradigmatisch in diesem Sinne ist das Verhältnis vom Einen selbst als der universalen Ursache und allem anderen Seienden: Wenn auch das Eine als das transzendente Göttliche „nicht partizipierbar" ist, konstituiert es doch als die allumfassende Ursache durch seine einigende Kraft alles Seiende. Demnach nimmt alles irgendwie an der von dem Einen herrührenden Grundvollkommenheit, nämlich an der Einheit und der Güte teil, es partizipiert aber nicht am Einen selbst, das über jede Beziehung zu niedrigerem Seienden erhaben bleibt, sondern lediglich an den „Henaden", die das Eine aus sich selbst hervorgehen lässt und die es in das niedrigere Seiende als sein „Einheit stiftendes" Licht hineinstrahlt (τὸ φῶς ἑνοποιόν).[34] Während die jeweiligen Seinsstufen in dieser Perspektive die Stellung „des Partizipierenden" einnehmen, sind die „überseienden Henaden" als das „partizipierte Eine" zu verstehen, wobei das Eine selbst „nicht partizipierbar" ist.[35] Die

---

33 Vgl. *L. M. de Rijk*, Causation and Participation in Proclus. The Pivotal Role of 'Scope Distinction' in His Metaphysics, in: E. P. Bos, P. A. Meijer (eds.), On Proclus and his Influence in Medieval Philosophy, Philosophia antiqua 53 (Leiden 1982) 1-34.

34 *Proklos*, Theol. Plat. III,4: H. D. Saffrey – L. G. Westerink, vol. III (Paris 1978) 16,15-17,12.

35 *Proklos*, In Parm.: V. Cousin (Paris 1864) 1069,6-8: οὐδὲν ἄλλο ἐστιν ἕκαστος τῶν θεῶν ἢ τὸ μετεχόμενον ἕν.

Henaden als Mitteilungen des Einen bilden somit eine Art „Blüte", „Gipfel" oder „vereinigende Mitte" jedes partizipierenden Seienden, um die herum dieses kristallisiert und von der ihre Existenz schließlich abhängt.[36] Die Henaden als das „partizipierte Eine" sind „Götter" im wahren Sinne des Wortes und ihre Anwesenheit fundiert den göttlichen Charakter der jeweiligen Seinsebene, die nur wegen ihrer Wirkung „göttlich" heißen kann. Das Verhältnis vom Einen und den Henaden kann freilich nicht als Partizipation beschrieben werden, die Henaden sind „Hervorgänge" (πρόοδοι) des Einen, während die Partizipation die Beziehung vom partizipierenden Seienden zu den Henaden bezeichnet.[37]

Dieses Model macht sich Proklos zufolge auf allen folgenden Ebenen des hierarchisch gestuften Universums geltend. Proklos betrachtet das ganze Universum als eine große Verkettung von Ursachen und Wirkungen, in der die jeweils höheren Monaden die niedrigeren Seinsebenen verursachen und diesen die Teilnahme an bestimmten Vollkommenheiten vermitteln. Im kausativen Verhältnis zwischen einer Monade und ihren Wirkungen kann man immer drei Glieder unterscheiden: (1) eine „nicht partizipierbare Monade", die als eigentliche Ursache der betreffenden Vollkommenheit funktioniert, (2) eine partizipierte Ursache und (3) an ihr partizipierendes Seiende.[38] Nicht nur das Eine als die universale Ursache, sondern auch jede der Seinsebenen oder Hypostasen – einschließlich des Seins, des Lebens und des Intellekts –, sofern sie eine kausale Wirkung auf untergeordnete Stufen ausübt und diesen ihre eigene Vollkommenheit durch das Partizipierte gewährt, kann also als „nicht partizipierbare" Monade bezeichnet werden.

Bei einer näheren Betrachtung stellt sich die dreigliedrige Struktur jeder Kausalreihe allerdings noch komplizierter dar, da bei ihrem Mittelglied, nämlich beim Partizipierten, eigentlich zwei Ebenen zu unterscheiden sind: (a) die immanente Form oder die Anwesenheit einer bestimmten Vollkommenheit im Verursachten und (b) die partizipierte Eigenschaft oder Vollkommenheit selbst, die zwar in engem Bezug zum Verursachten steht, aber ihr eigenständiges Dasein unabhängig vom Verursachten beibehält.[39] Das Partizipierte im ersten

---

36 *Proklos*, Theol. Plat. III,4: Saffrey – Westerink III, 14,11-15 ff.
37 Vgl. *Ch. Guérard*, La Théorie des Hénades et La Mystique de Proclus, Dionysius 6 (1982) 73-82, hier 78.
38 *Proklos*, Theol. Plat. III,2: Saffrey – Westerink III, 10,16-26.
39 Vgl. *P. A. Meijer*, Participation in Henads and Monads in Proclus' Theologia Platonica III, chs. 1-6, in: E. P. Bos, P. A. Meijer (eds.), On Proclus and his Influence in Medieval Philosophy, 65-87, hier 67 ff. Dagegen: *L. M. de Rijk*, Causation and Participation in Proclus, 12 ff.

Sinne besitzt keine unabhängige Existenz und benötigt zu seiner Existenz die Bindung an sein Verursachtes, in dem es sich verwirklicht. Das so verstandene Partizipierte nennt Proklos „Ausstrahlungen" oder „Kräfte" im eigentlichen Sinne des Wortes. Das Partizipierte im zweiten Sinne ist dagegen eigenständig, in sich vollendet und von seinem Verursachten letztendlich unabhängig.[40] Das Partizipierte im zweiten Sinne bildet somit eine eigenständige Zwischensphäre, die unter der Ursache und dem Verursachten vermittelt. Diese partizipierten Ursachen sind – im Unterschied zu den transzendenten Monaden – kommensurabel mit verursachtem Seienden, heben sich jedoch deutlich von den dem Verursachten immanenten Formen ab und sind – im Unterschied zu ihren Wirkungen – der Ursache selbst ähnlich. Die Partizipierten, die in sich selbst bestehen, senden dann in die niedrigeren Seienden ihre „Kräfte" aus, die sich im Substrat des verursachten Seienden als dessen immanente Formen auswirken.[41] Den Unterschied zwischen den beiden Ebenen des Partizipierten drückt Proklos auch als den zwischen dem „getrennt bestehenden Partizipierten" (χωριστῶς μετεχόμενον) und seiner vom Verursachten „nicht getrennten Kraft" (δύναμις ἀχώριστος) oder seiner „Ausstrahlung", die das getrennt bestehende Partizipierte mit dem Partizipierenden verbindet und durch die die Vermittlung einer Vollkommenheit vollgezogen wird, aus.[42] Die Struktur jeder Kausalreihe kann also auf folgende Weise präzisiert werden: Auf ihrem Gipfel steht eine nicht partizipierbare Monade, die aus sich selbst das Partizipierte hervorgehen lässt, welches dennoch in sich selbst besteht und getrennt vom Verursachten bleibt. Dieses sendet dann seine „Kraft" oder „Ausstrahlung" aus, die im verursachten Seienden als seine immanente Form anwesend ist.

IV. Adaptation des proklischen Konzeptes durch Dionysios

Dionysios hatte wahrscheinlich das metaphysische System des Proklos mit seiner ganzen Struktur von Seinsstufen vor den Augen. Das Proklische Gefüge von hierarchischen Seinsordnungen wird von Dionysios allerdings entsprechend dem Anliegen der christlichen Theologie wesentlich modifiziert und umgestaltet. Die ganze vertikal hierarchische Ordnung von Seinsstufen wird von

---

40   Vgl. *P. A. Meijer*, Participation in Henads and Monads, 69.

41   *Proklos*, Theol. Plat. III,2: Saffrey – Westerink III, 10,27-11,5. Vgl. *P. A. Meijer*, Participation in Henads and Monads, 72-74.

42   *Proklos*, Elem. theol. 81: E. R. Dodds (Oxford 1963²) 76.

Dionysios aufgehoben, indem der ganze in sich gestufte Bereich des „gedach-ten" Seins, des „gedacht-denkenden" Lebens und des „denkenden Intellekts" auf die Ebene der Thearchie selbst emporgehoben wird. Die Thearchie bewahrt dennoch zugleich den Charakter des Proklischen überseienden Einen, das auch Dionysios emphatisch über alles Seiende erhebt und es im Einklang mit Proklos sogar „nicht partizipiert/partizipierbar" nennt. Dionysios' originelle Lösung, die ihm diese Adaptation des neuplatonischen Systems ermöglichte, besteht nun darin, dass er zwar die ursprünglich hierarchischen Seinsstufen oder die nicht partizipierten Monaden im Unterschied zu Proklos gleichsam in den göttlichen Ursprung selbst hinein nimmt, zugleich aber von ihnen ihre partizipierten Aspekte absondert, die er als die „Hervorgänge" oder die Entfaltungen dieses Einen Gottes in die Welt hinein betrachtet. Diese Umgestaltung der Proklischen Metaphysik, bei der das ganze System von hierarchisch geordneten Seinsstufen teilweise auf die Thearchie selbst und teilweise auf ihre Hervorgänge oder Partizipationen reduziert wird, hat nun Dionysios mit Hilfe der Begriffsmittel durchgeführt, welche ihm die von Proklos selbst herrührende Theorie der Kausalität zur Verfügung stellte.

Bei Dionysios lässt sich das dreigliedrige Modell „des nicht Partizipierten/ Partizipierbaren" – „des Partizipierten" – „des Partizipierenden" deutlich erkennen. Wir haben gesehen, dass es im dionysischen Universum neben dem teilnehmenden Seienden und der Thearchie als universaler Ursache, die selbst „nicht partizipiert/partizipierbar" ist, den Bereich von „Partizipationen" gibt, die nichts anderes als die partizipierte Thearchie bedeuten. Wenn man nach einer Analogie zu diesen Partizipationen in Proklos' metaphysischem System sucht, ist in erster Linie an die Henaden zu denken, die gerade die Funktion des partizipierten Einen oder Guten ausüben. Die proklischen Henaden als „Hervorgänge" oder „Mitteilungen" des Einen vermitteln jedoch den niedrigeren Seinsstufen nur eine einzige Vollkommenheit, welche freilich die Grundvoraussetzung für alle anderen Eigenschaften und Vollkommenheiten bildet, nämlich die Einheit (und die Güte). Die drei ersten Hervorgänge oder Partizipationen, von denen sich Dionysios zufolge die ersten Gottesprädikate nach dem „Guten" ableiten, d. h. „Sein", „Leben" und „Weisheit" („Denken", „Intellekt"), werden von Proklos keineswegs als „Hervorgänge" des Einen oder Guten selbst verstanden, sondern sie bilden die selbständigen Monaden, die dem Einen nachgeordnet und untereinander hierarchisch gestuft sind. Dementsprechend sind die Vollkommenheiten wie Sein, Leben, Intellekt erst von diesen Seinsstufen oder Monaden selbst durch ihre kausale Wirkung auf niedrigere Glieder vermittelt. Auch in diesen Kausalverhältnissen von den Ursachen und den Verursachten macht sich dabei das universale Modell der Kausalität, „das nicht Partizipierte/Partizipierbare" – „das Partizipierte" – „das

Partizipierende", geltend. Das Partizipierte hat in diesem Fall nicht den
Charakter einer Henade, sondern den einer mitgeteilten Eigenschaft, d. h. z. B.
vom partizipierten Sein, Leben und Intellekt. Die nicht partizipierten Ursachen
selbst wie das Sein, Leben und Intellekt sind bei Proklos die Hypostasen oder
Seinsstufen im neuplatonischen Sinne. Gerade diese selbständigen nicht
partizipierten Ursachen streicht nun Dionysios und lässt nur eine einzige
göttliche Ursache bestehen, die alle Vollkommenheiten allen Geschöpfen
mitteilt. Die Reihe von nicht partizipierten Ursachen, die im Rahmen des
Proklischen Systems die Kluft zwischen dem transzendenten Einen und der
körperlichen Welt überbrücken sollen, fällt so eigentlich mit dem Einen oder
Guten selbst zusammen. Damit werden sie allerdings notwendigerweise ihrer
Intelligibilität beraubt und gleichsam von der Dunkelheit der Einheit und Transzendenz Gottes verschlungen. Jene nicht partizipierten Ursachen, die alle mit
dem Einen selbst zusammenfallen, deutet dabei Dionysios als Urbilder im göttlichen Intellekt um, die aber im Unterschied zu den platonischen Ideen paradoxer-
weise gerade nicht partiziert und nicht auf eine intelligible Weise erfassbar
sind. Dank seiner Anwendung von Proklos' Theorie der Kausalität kann aber
Dionysios diese nicht partizipierten Urbilder, die mit dem Einen selbst identisch
sind, von den partizipierten Vollkommenheiten unterscheiden, die er „Partizipationen an sich" nennt und denen er einige traditionelle Attribute der platonischen
Ideen zuspricht. Nur aufgrund von diesen Partizipationen, die für menschliches
Denken fassbar sind, ist es dann möglich, auf die Anwesenheit von den nicht
partizipierten Ursachen in der Thearchie zu schließen, deren Existenzweise sich
der menschlichen Erkenntnis entzieht. Gerade infolge dieser Aufhebung oder
Erhöhung der Seinsstufen, die im Proklischen System das ganze Universum von
„nicht partizipierten Monaden" darstellen, auf die Ebene der transzendenten
Gottheit selbst, gewinnen alle partizipierten Ursachen die Funktion und die
Stellung, die bei Proklos den Henaden als dem partizipierten Einen gebührt. Die
Vollkommenheiten, die diese eigenartigen „Henaden" dem verursachten Seienden mitteilen, beschränken sich nicht mehr nur auf die Einheit und Güte,
sondern schließen den ganzen Reichtum aller anderen Vollkommenheiten ein,
der der Fülle aller Urbilder in der Thearchie entspricht, welche bei Proklos auf
verschiedene Seinsstufen verteilt ist. Die Partizipationen, die dem Proklischen
Begriff von partizipierten Ursachen entsprechen, sind dabei wieder in
Übereinstimmung mit Proklos als „Hervorgänge" oder „Mitteilungen" von der
nicht partizipierten Ursache selbst aufgefasst. Im dionysischen christlichen
Universum, für das die ontologische Grundpolarität zwischen dem Gottschöpfer
und seinen Geschöpfen konstitutiv ist und in dem folglich für andere vermittelnde göttliche Wesenheiten oder Hypostasen kein Platz bleibt, müssen diese
Hervorgänge letztendlich dem Geschaffenen zugeordnet werden. Das sollte uns

auch nicht weiter wundern, da die Schöpfung bei Dionysios gerade mit Hilfe des neuplatonischen Begriffes von Hervorgang ausgedeutet wird. Im dionysischen Sinne handelt es sich dennoch um die Manifestationen der Thearchie selbst im Kreatürlichen, die trotz ihrer Transzendenz in ihm anwesend bleibt.

Die subtilere Unterscheidung, die Proklos im Rahmen des Partizipierten einführt und von der oben die Rede war, erleuchtet den besonderen ontologischen Status von Partizipationen selbst. Es wurde bereits erwähnt, dass die Partizipationen – wie z. B. „das Sein an sich", „das Leben an sich" – eigentlich die partizipierte Thearchie darstellen, die selbst nicht partizipierbar ist. Sie bedeuten dennoch etwas anderes und mehr als bloße immanente Anwesenheit einer bestimmten Vollkommenheit in partizipierendem Seienden. Es ist nahe liegend, dass die „Partizipationen an sich" bei Dionysios dem Proklischen „getrennt bestehenden Partizipierten" (χωριστῶς μετεχόμενον) entsprechen, das eine eigenständige, zwischen der Ursache und dem Verursachtem vermittelnde Zwischensphäre bildet. Damit erklärt sich auch der auf den ersten Blick verwirrende Charakter von Partizipationen, die eine eigenständige Seinsebene zwischen dem Schöpfer und der geschaffenen Welt darzustellen scheinen und deswegen manchmal auch für ein Relikt des neuplatonischen hierarchischen Polytheismus gehalten werden, das im Rahmen der dionysischen Christianisierung des paganen Neuplatonismus nicht aufgehoben wurde. Gerade der Zusammenhang mit Proklos' Kausalitätslehre zeigt jedoch, dass die dionysische Synthese der neuplatonischen Metaphysik mit dem christlichen Weltbild wenigstens in dieser Hinsicht konsequent ist und dass ihre Durchführung als Meisterstück im Bereich des spekulativen Denkens betrachtet werden kann. Dionysios eliminiert nämlich alle ontologischen Mittelstufen des proklischen metaphysischen Systems mit Hilfe seiner eigenen Waffen, d. h. mittelst Proklos' Theorie der Kausalität. Diese Theorie soll zwar die Verhältnisse zwischen den verschiedenen Seinsstufen des proklischen hierarchischen Universums erklären, an sich führt sie jedoch zu keiner Multiplikation von Seinsstufen neben der nicht partizipierten Ursache und dem partizipierten Seienden. Das Partizipierte bildet nämlich kein neues besonderes hypostatisches Wesen, aber es handelt sich um einen bloßen Hervorgang der nicht partizipierten Ursache, infolge dessen das partizipierende Seiende sich konstituiert.

The Two-Level Emanation of the Divine and the Plurality in Mystical Vision

Ivan Christov (Sofia)

It is an attitude of Orthodox theology, finally conceptualised in the course of the Palamitic debates and the related councils of 1341-1351, to distinguish between the essence of God and the divine energies, emanating at the initial 'stage' of its preeternal procession that ontologically (but not temporarily) precedes the act of creation. The *Corpus Dionysiacum* has always been regarded as one of the main sources of the Palamite doctrine. Now it is worth approaching Pseudo-Dionysius' works from this prospective. This raises a set of issues that could otherwise escape our notice: (1) whether there are stages in emanation; (2) if so, whether there are analogical stages in the backward process of assimilation of man to God, considering the symmetry of procession and reversion; (3) whether this symmetry explains the different ways of 'knowing' God. In this paper, I will try to distinguish two levels of emanation in *DN*. The first level generates divine ideas and leaves them at the state of μονή. The second, being a procession from this state, turns them into eternal reasons of creation, which are still within the divine Mind, 'before' and not correlated to the act of creation. Against this background the distinction of *superlative* and *causal* divine names will be reassessed and further parallels with Proclus' *Platonic Theology* and *The Commentary on 'Parmenides'* will be made. It is this distinction that explains the particular nature of ἀγνωσία, and the plurality in mystical vision.

The doctrine of emanation is at the core of the treatise *The Divine Names*. The author explicitly states his aim 'to sing a hymn of praise for the being-making *procession* of the absolute divine Source of being into the total domain of being.'[1] But if there are stages in the emanative process, then is the

---

[1]   DN 5,1: PTS 33, 180,12 f. Unless otherwise indicated I follow the translation of C. *Luibheid*, Pseudo-Dionysius. The Complete Works (New York 1987).

distinction of *causal* and *superlative* related to it? To answer this question, we need to turn to the text of DN 4,3.[2] Pseudo-Dionysius writes here about the 'preeminent production of forms' (ὑπεροχικὴ εἰδοποιία) in the Good and about the participation of the nonbeing in it. This text is one of the most profound, but also most enigmatic in the Corpus. There has not been a unified translation until the present day.

Now let us look at the text:

Εἰ δ' καὶ ὑπὲρ πάντα τὰ ὄντα ἐστίν, ὥσπερ οὖν ἐστι, τἀγαθόν, καὶ τὸ ἀνείδεον εἰδοποιεῖ. Καὶ ἐν αὐτῷ μόνῳ καὶ τὸ ἀνούσιον οὐσίας ὑπερβολὴ καὶ τὸ ἄζωον ὑπερέχουσα ζωὴ καὶ τὸ ἄνουν ὑπερέχουσα σοφία καὶ ὅσα ἐν τἀγαθῷ τῆς τῶν ἀνειδέων ἐστὶν ὑπεροχικῆς εἰδοποιίας. Καί, εἰ θεμιτὸν φάναι, τἀγαθοῦ τοῦ ὑπὲρ πάντα τὰ ὄντα καὶ αὐτὸ τὸ μὴ ὂν ἐφίεται καὶ φιλονεικεῖ πῶς ἐν τἀγαθῷ καὶ αὐτὸ εἶναι τῷ ὄντως ὑπερουσίῳ κατὰ τὴν πάντων ἀφαίρεσιν.[3]

Given that the Good is above all being (as it really is), it gives form to the formless. It is in the Good only that the non-being <is> preeminence of being, the non-living <is> preeminent life, the non-possessing mind <is> preeminent wisdom, and the same holds good for all preeminent production of forms of the formless in the Good. One might even say that the nonbeing itself longs for the Good which transcends all being and strives to be also present in it, in the sense of denial of all things.

The crucial problem of this passage is the interpretation of the concept of the 'preeminent production of forms' (ὑπεροχικὴ εἰδοποιία[4]). The very combination of these words is paradoxical, as, in the Dionysian Corpus, they express ontologically different moments in the causal series. So the adjective 'pre-eminent' (ὑπεροχικός) and the adverb 'pre-eminently' ὑπεροχικῶς in Pseudo-Dionysius' writings characterize the particular mode of being of the noncreated divine energies in the aspect of their abiding in themselves,[5]

---

2   PTS 33: 146,6-12.
3   DN 4,3: PTS 33: 146,6-12; transl. *C. Luibheid*, Pseudo-Dionysius, 73.
4   DN 4,3: PTS 33, 146,9.
5   This is the ontologically suprime and initial phase in the enveloping of the divine Providence, 'preceding' the articulation of the providential ideas which realize the *oeconomy* of God. When talking about them, Pseudo-Dionysius uses the prefix ὑπερ- (or αὐτουπερ-) and distinguishes them from the ontologically lower energies of the divine Providence which act on the creation in a direct causal action and, accordingly, are expressed by the so-called 'causal names' (αἰτιολογικὰ ὀνόματα), cf. DN 2,3: PTS 33, 125,13-18, cf. DN 5,2: PTS 33, 181,8-15.

transcendent to all being,[6] above both affirmation and negation,[7] and also above form and its privation.[8] In some instances, the expressions are used to distinguish providential ideas, which realize God's *oeconomy* in creation, from the nature of what has already been created.[9] So the adjective ὑπεροχικός is homonymous. Its exact meaning depends on which moments of divine Providence it describes. But in both instances it is applied to the realm of divine energies. It characterizes the particular mode of being of divine energies, which is not constituted in a way characteristic of creatures – namely as a presence of form or its privation – and which cannot be expressed by affirmation and negation.

As to the noun εἰδοποιία, it occurs only here in the Corpus. We may explain its meaning by analogy with the verb of the same root εἰδοποιέω, which appears in the quoted text in a close relation to it.[10] This verb has also been used in *The Ecclesiastical Hierarchy,* where it refers to: (1) the act of baptism as giving form to the formless;[11] (2) the act of incarnation as the assumption of human form by God;[12] (3) the contemplation of Genuine Beauty in the beauty of its sense-perceptible images, as giving the form of the hyperexistential Beauty to the mind of the artist and creating intelligible splendour in it.[13] In all these instances the word expresses the fulfilment of divine Providence in the created world. This fulfillment takes place by building a new ontological (and eschatological) entity, the being of which consists in the form obtained by the creatures.

---

6   DN 1,5: PTS 33, 117,10-11.

7   Pseudo-Dionysius prefers to speak about 'preeminent negation' (ὑπεροχικὴ ἀφαίρεσις) which denies both the positive and the negative predicates of the absolute being, in paradoxical way restoring the positive definitions, but in a preeminent modus, cf. DN 2,3: PTS 33, 125,16.

8   That is why any kind of change is impossible here, so that the hyperessential Beauty cannot be sometimes beautiful, and sometimes not beautiful (DN 4,7: PTS 33, 151,5-17). It is in this respect that Pseudo-Dionysius draws the contrast between the particular kind of 'preeminent' negation characteristic of the Good on the one hand, and the negation 'as privation' (κατὰ στέρησιν), on the other; Ep. 1: PTS 36, 156,5.

9   DN 5,2: PTS 33, 181,12; 5,10: PTS 33, 189,9. These providential ideas are being expressed by the so called 'causal names' (αἰτιολογικὰ ὀνόματα). See above, note 5.

10   ... καὶ τὸ ἀνείδεον εἰδοποιεῖ. Καὶ ἐν αὐτῷ μόνῳ καὶ τὸ ἀνούσιον οὐσίας ὑπερβολὴ καὶ ... καὶ ὅσα ἐν τἀγαθῷ τῆς τῶν ἀνειδέων ἐστὶν ὑπεροχικῆς εἰδοποιίας ... (PTS 33, 146,7-9).

11   EH 2,8: PTS 36, 78,13.

12   EH 3,13: PTS 36, 93,17.

13   EH 4,1: PTS 36, 96,13.

Thus, both the noun εἰδοποιία and the attributive adjective ὑπεροχική are applied to divine Providence, but the noun expresses its fulfilment and presence in creation, while the adjective in its two meanings characterizes providential ideas as ontologically 'separate' from creatures. In the first instance the action of the providential ideas is meant – action regarded as the production of form. In the second one the word refers to the particular mode of being of these ideas when taken in themselves, as transcendent to the opposition of form and privation and abiding in hyperintelligible unity (ἕνωσις).[14] This being the case, we may wonder how the adjective expressing transcendence in respect to form and its privation can be attributed to the noun expressing the production of forms of the formless? And what exactly is this 'preeminent production of forms' (ὑπεροχικὴ εἰδοποιία)?

In order to answer these questions, we should examine them in their historical perspective. The philosophical language Pseudo-Dionysius uses in his theology points to an analogy with Proclus' teaching on the attributes of gods. So in the fifth book of the *Platonic Theology* Proclus contrasts the attribute 'paternal' (τὸ πατρικόν) with the attribute 'creative' (τὸ ποιητικόν), both of them referring to the dialectical principle of the 'limit.' For Proclus, the first of these attributes characterizes the cause of the unity (ἕνωσις) such as belongs to the realm of gods,[15] whereas the second one describes the form-giving cause (εἰδοποιίας αἴτιον).[16] The examination of the meaning of the adjective 'preeminent' (ὑπεροχικός) in *Corpus Dionysiacum*, expressing the unity (ἕνωσις) in God, and of the noun εἰδοποιία, expressing the procession of divine Providence from its concentration in itself towards the *oeconomical* action, leads us to the idea of a similar opposition. In Proclus' philosophy the attribute 'paternal' characterizes the articulation of the causal potency of the One in the whole series of intelligible and intellectual gods;[17] the attribute 'creative' describes its

---

14 DN 2,4: PTS 33, 126,4.8.

15 Proclus contrasts the 'unity' (ἕνωσις) among the divine henads in respect of its force and deepness with the 'universality' (κοινωνία) and with the 'identity' (ταυτότης) in the realm of beings (*Proclus*, In Parm. VI: V. Cousin, Paris 1864, 1048,11-18). On the divine henads and their attributes see the commentary of E. R. Dodds: *Proclus*, The Elements of Theology (Oxford 1963²) 278-281, and H. D. Saffrey, L. G. Westerink: *Proclus*, Théologie platonicienne, III (Paris 1978) LII-LX, LXXII-LXXVII.

16 *Proclus*, Theol. Plat. V,16: H. D. Saffrey – L. G. Westerink, V (Paris 1987) 54,3-5: ἑκάτερον μὲν οὖν τό τε πατρικὸν λέγω, καὶ τὸ ποιητικὸν ὁμοιοῦται τῇ τοῦ πέρατος ἀρχῇ, καὶ ἔστι τὸ μὲν ἑνώσεως, τὸ δὲ εἰδοποιίας αἴτιον...

17 These are the 'intelligible' (νοητοί), the 'intelligible and intellectual' (νοητοὶ καὶ νοεροί) and the 'intellectual' (νοεροί) gods.

articulation in the series of the 'extra-' and intra-cosmic gods, the first among which are the 'demiurgic' gods. But it does not follow that the second attribute is not applicable also to the series of the intelligible and intellectual gods,[18] or that the first one may not equally characterize the action of the demiurgic gods.[19] The question is which of them expresses the particular mode of being of the realm of gods and determines its specific features. The meaning of the other attributes is modified according to these specific features. So the attribute 'paternal' characterizes the action of the intelligible and intellectual series of gods, because the production of forms only takes place in the realm of the *intelligible* being. This also modifies the meaning of Proclus' expression 'the production of forms' (εἰδοποιία), which is not realized in any substratum apart from the *intelligible*. Accordingly, in this case, the attribute 'paternal' incorporates the attribute 'creative' which is now presented in a particular modus – the 'creator' here is creator 'paternally.' It obtains a meaning different from the one characteristic of its proper realm – that of the demiurgic action, where it describes the production of form of an extraneous entity, which makes it a cause of the multiplicity of existence.[20]

The 'production of form' undergoes an analogical shift of meaning in Pseudo-Dionysius' thought, when it is applied to divine Providence. (This is exactly the sense of its qualification as *'pre-eminent.'*) Indeed, when drawing an analogy between Proclus' teaching about divine attributes and Pseudo-Dionysius' concept of the unity in God and of the 'production of form' as a beginning of its *oeconomical* action in the world, we must not forget their difference. According to Proclus, there are many gods, and along their series the causality of the First principle, which they transmit to the lower ranks,

---

18   On some occasions Proclus talks about the production of forms also in the realm of the noumenal. So in Theol. Plat. IV,1: Saffrey-Westerink 34-37, the order in the triad 'being' – 'intellect' – 'life' is put into connection with the way they were given their form. See also А. Ф. Лосев, История античной эстетики: Последние века, II (Москва 1988) 100-101.

19   In his commentary on Plato's *Cratylus* Proclus lays the stress on the universality of the 'paternal' cause which penetrates all the series of the noumenal gods and spreads over the demiurgical gods (*Proclus*, In Crat. 98: G. Pasquali, Leipzig 1908, 48,1-5; cf. *Proclus*, Elem. theol. 151: Dodds 279).

20   *Proclus*, Elem. theol. 157. Cf. his commentary on Plato's *Timaeus* (*Tim*. 28c), where the difference between the 'father' and the 'creator' consists in the fact that the 'father' contains in himself everything and is the cause of the hypostatic being, while the 'creator' is the cause of the order only, of the forms and of the giving of the *logoi* to the existing things (*Proclus*, In Tim.: E. Diehl, I, Leipzig 1903, 299,21-300,1).

undergoes modification in the sense of bringing the action out of their own realm. Being a Christian thinker, Pseudo-Dionysius believes in one and only God and considers Him to be the source of all kinds of causality.[21] Confining all causality within the providential energies of God, he, on the one hand, excludes the plurality of ontological links that mediate the action of the Creator to the creation, and, on the other hand, restricts the possibility that ontological degrees within divine Providence should be regarded as subordinate to one another.[22] The number of these ontological degrees is also reduced. As we could see from the examination of the meanings of the adjective 'preeminent' (ὑπεροχικός), the emanation of noncreated energies which are constitutive parts of divine Providence and act as an ontological mediator between the divine essence and the world, has two phases. During the first one they abide in themselves. They are 'hidden and non-exiting supreme foundations of the permanence which is both above the word and ignorance' (τὰς τῆς ὑπεραρρήτου καὶ ὑπεραγνώστου μονιμότητος κρυφίας καὶ ἀνεκφοιτήτους ὑπεριδρύσεις).[23] At this stage every idea of divine Providence is 'supremely founded' (ὑπεριδρυμένη),[24] i.e., it has a particular mode of being expressed by the adjective 'preeminent' in its first meaning – not only above the affirmation and negation, but also above any *oeconomical* act of God. It is the initial point in the 'being-making procession of the absolute divine Source of being,' which is the true subject of theology,[25] where the non-created divine energies abide in themselves.

The unarticulated status of providential ideas, their 'abiding in themselves,' is the reason why divine Providence is 'unrevealed.' Their articulation or 'procession' makes the Providence 'revealed' (ἐκπεφασμένη) and 'benevolently acting' (ἀγαθοποιός).[26] It is the starting point of God's *oeconomy*. Accordingly, their names are 'causal names' (αἰτιολογικὰ ὀνόματα).[27] The new mode of being which the ideas of divine Providence obtain in order to act

---

21   In particular Dionysius places Limit and Unlimitedness in God. See *S. Klitenic Wear, J. Dillon*, Dionysius the Areopagite and the Neoplatonist Tradition (Aldershot 2007) 24.

22   Therefore, in the text of DN 5,2: PTS 33, 181,16-19, where Pseudo-Dionysius denies the hierarchy between the Good, the Life and the Wisdom, *S. Gersh*, From Iamblichus to Eriugena (Leiden 1978) 164, sees a direct polemic against pagan polytheism.

23   DN 2,4: PTS 33, 126,8-10.

24   DN 5,2: PTS 33, 181,11.

25   DN 5,1: PTS 33, 180,9-13.

26   DN 5,2: PTS 33, 181,11-12.

27   DN 2,3: PTS 33, 125,13-18. Pseudo-Dionysius contrasts these names with the names, expressing the providential ideas in the aspect of their abiding in themselves, which are formed with the aid of the preffixes ὑπερ- and αὐτουπερ-. See above, note 5.

on creatures as their cause is the second moment in its emanation. This mode of being, which distinguishes them from the nature of creatures, is expressed by the adjective 'preeminent' (ὑπεροχικός) in its second meaning.

Now it is clear that the whole combination of words 'preeminent production of forms' (ὑπεροχικὴ εἰδοποιία) could also have two meanings. In both instances Pseudo-Dionysius is talking about the emanation that takes place within divine Providence. Firstly, it could mean the procession of providential ideas from their initial unarticulated state where they abide in themselves. The name 'Good' expresses exactly this initial unarticulated completeness of divine Providence (τῆς παντελοῦς τοῦ ἑνὸς θεοῦ προνοίας ἐκφαντικήν).[28] At this stage Being, Life and Mind and all other providential ideas emerge in it.[29] Secondly, it could mean further modification of these ideas, which provide the ground for the analogical being both of the forms and the matter in creation.

We should not be surprised that due to the symmetry of procession and reversion, the backward process of the creature to the Creator is structurally analogous to emanation. The ἕνωσις in the *mystical experience* and knowing God in *cataphatic theology* seem to reflect the two stages in emanation. Both of these stages are related not to God in His essence, but to His Being – the energies that effulge from Him. Pseudo-Dionysius is explicit at this point, claiming that the aim of his discourse is not to reveal the superessential essence *qua* superessential, for this is above words, something unknown and wholly unrevealed, something above unity itself (αὐτὴν ὑπεραῖρον τὴν ἕνωσιν).[30] Insofar as Pseudo-Dionysius would never reduce unity (ἕνωσις) of man with God to cataphatic (or even symbolic) theology, this passage should be taken in a general sense – man will never be assimilated to the essence of God. Neither cataphatic theology, nor even symbolic theology and mystical experience will ever reach above His energies. The highest point is thus to achieve mystical contemplations (μυστικὰ θεάματα),[31] which mark the entrance into a particular state of mystical 'ignorance' (ἀγνωσία) and 'union' (ἕνωσις) with God. It unites man to the initial stage of emanation where divine ideas are in a preeminent state, so to speak in a state of μονή that precedes their procession as causal ideas. These causal ideas are the subject of the cataphatic theology. It is bound to 'the being-making procession of the absolute divine Source of being into the total domain

---

28   DN 5,2: PTS 33, 181,19-20.
29   DN 4,3: PTS 33, 146,9 (ὅσα ἐν τἀγαθῷ τῆς ... ὑπεροχικῆς εἰδοποιίας).
30   DN 5,1: PTS 33, 180,9-12.
31   MT 1,3: PTS 36, 144,5.

of being.' Symbolic and negative theology stay in the middle: they mark the transition from the cataphatic knowledge to mystical experience, providing the human mind with different degrees of negativity in order to transcend itself and enter into divine darkness. This final stage of unity still has nothing to do with the essence of God – there is multiplicity in it and this darkness is the most extensive light revealing to the supranoetic vision the preeminent Being of God.

„Der Alte der Tage".
Gott als Zeit nach *De divinis nominibus* 10,2-3, vor dem Hintergrund des platonischen *Parmenides*

Lenka Karfíková (Prag)

„Ich blickte so lange hin, bis Throne aufgestellt wurden und ein Hochbetagter (der Alte der Tage) Platz nahm. Sein Gewand war weiß wie Schnee, und sein Haupthaar rein wie Wolle. Sein Thron waren Feuerflammen und seine Räder Feuerbrände. Ein Feuerstrom ging von ihm aus und floss daher. Tausendmal Tausende dienten ihm und zehntausendmal Zehntausende standen vor ihm. Das Gericht nahm Platz und Bücher wurden aufgeschlagen. Noch immer sah ich hin, bis das Tier – wegen der anmaßenden Worte, die das Horn redete – getötet wurde. Sein Leib wurde zerstückelt und dem Feuer zum Verbrennen übergeben. Auch den übrigen Tieren wurde ihre Macht genommen, aber man ließ ihnen noch Lebensdauer für eine bestimmte Zeit. Ich sah in den nächtlichen Visionen: Da kam mit den Wolken des Himmels eine Gestalt wie ein Menschensohn; er gelangte bis zu dem Hochbetagten und wurde vor ihn hingeführt. Ihm wurde Macht, Herrlichkeit und Königsherrschaft verliehen. Alle Völker, Nationen und Sprachen dienten ihm. Seine Herrschaft ist eine ewige, unvergängliche Herrschaft. Sein Königtum geht niemals unter." (Daniel 7,9-14)

Der Titel „der Alte der Tage" (παλαιὸς ἡμερῶν, Dan 7,9) erscheint in den *Göttlichen Namen* des Dionysius im Paar mit einer anderen Benennung, nämlich „der Allherrschende".[1] Während dieser letzte Name (παντοκράτωρ, 2 Sam 7,8;

---

1   Die Reihenfolge der einzelnen Gottesnamen – das Gute, das Schöne, die Liebe, das Sein, das Leben, die Weisheit, die Macht, die Gerechtigkeit, das Heil, das Große, das Kleine, das Selbe, das Andere, das Ähnliche, das Unähnliche, die Bewegung, die Ruhe, die Gleichheit, der Allherrschende, der Alte der Tage, der Friede, der Heilige der Heiligen, der König der Könige, der Herr der Herren, der Gott der Götter, der Vollkommene, der Eine – deutet einen schwierig zu entziffernden Aufbau an; vgl. dazu *E. von Ivánka*, Der

2 Kor 6,18) die Macht Gottes zum Ausdruck bringt, die alles aus sich hervorgehen, zu sich zurückkehren und in sich bestehen lässt,[2] ist in dem Namen
„der Alte der Tage" die Beziehung Gottes zur Zeit und zur Ewigkeit verborgen.
Die Auslegung dieses Titels (der einen Euripides-Leser sicher an die poetische
Benennung der Zeit als des „alten Vaters der Tage" erinnert[3]) ist eine interessante Collage aus biblischen Stoffen und einer Interpretation des platonischen
Parmenides, wie sie dem Areopagiten höchstwahrscheinlich von Proklos
bekannt war.[4] Schon das Hinzufügen der Namen „der Allherrschende" (d.h. der
Alles-Umfassende und -Erhaltende) und „der Alte der Tage" (die Ewigkeit und
Zeit) zu den parmenideischen Paaren „das Selbe – das Andere", „das Ähnliche –
das Unähnliche", „die Bewegung – die Ruhe" (DN 9) deutet an, dass Dionysius
thematisch (wenn auch nicht der Reihenfolge nach) der Struktur der Übung
folgt, wie sie Parmenides im platonischen Dialog bietet (vgl. Parm. 138a-142a
für die erste, und bes. 145b-155e für die zweite Hypothese).[5] Die neuplatonische
exegetische Tradition, beginnend bei Plotin über Amelius, Jamblich, den
„Philosophen von Rhodos" (vielleicht Theodor von Asine[6]), Plutarch

---

Aufbau der Schrift „De divinis nominibus" des Ps.-Dionysios, Scholastik 15 (1940) 386-
399; E. *Corsini*, Il trattato De divinis nominibus dello Pseudo-Dionigi e i commenti
neoplatonici al Parmenide (Torino 1962) 39-73; *H. Urs von Balthasar*, Herrlichkeit. Eine
theologische Ästhetik, II (Einsiedeln 1962) 192 f.; *Ch. Schäfer*, Philosophy of Dionysius
the Areopagite. An Introduction to the Structure and the Content of the Treatise On the
Divine Names, Philosophia Antiqua 99 (Leiden – Boston 2006) bes. 73-121.

2   *Dionysius Areopagita*, DN 10,1: PTS 33, 214,13 – 215,1: ... ἐξ ἑαυτῆς τὰ ὅλα καθάπερ
ἐκ ῥίζης παντοκρατορικῆς προάγουσαν καὶ εἰς ἑαυτὴν τὰ πάντα καθάπερ εἰς
πυθμένα παντοκρατορικὸν ἐπιστρέφουσαν καὶ συνέχουσαν αὐτὰ ὡς πάντων
ἕδραν παγκρατῆ.

3   Vgl. *Euripides*, Supplices 787 f.: J. Diggle, vol. 2. (Oxford 1981): Χρόνος παλαιὸς
πατὴρ / ὤφελ᾽ ἁμερᾶν κτίσαι.

4   Vgl. v.a. E. *Corsini*, Il trattato. S. Lilla setzt voraus, dass Dionysius auch aus dem
fragmentarisch erhaltenen und manchmal dem Porphyrius zugeschriebenen Kommentar
und aus dem Kommentar des Damaskios schöpfen konnte. Vgl. *S. Lilla*, Pseudo-Denys
l'Aréopagite, Porphyre et Damascius, in: Y. de Andia (éd.), Denys l'Aréopagite et sa
postérité en Orient et en Occident, Actes du colloque international, Paris, 21-24 septembre 1994 (Paris 1997) 117-152.

5   Vgl. dazu E. *von Ivánka*, Der Aufbau, 392 f.; E. *Corsini*, Il trattato, 92-103. S. Klitenic
Wear und J. Dillon weisen auch auf die Nähe einiger dieser Namen zu den *megista genē*
in Platons *Sophist* hin, vgl. *S. Klitenic Wear, J. Dillon*, Dionysius the Areopagite and the
Neoplatonist Tradition. Despoiling the Hellenes (Aldershot 2007) 27-32.

6   Vgl. *H. D. Saffrey*, Le « Philosophe de Rhodes » est-il Théodore d'Asiné? Sur un point
obscur de l'histoire de l'exégèse néoplatonicienne du Parménide, in: Mémorial A.-J.
Festugière. Antiquité païenne et chrétienne (Genève 1984) 65-76.

von Athen, Syrianus und Proklos bis hin zu Damaskios, sieht in den einzelnen Hypothesen des platonischen Dialogs die einzelnen Wirklichkeitsebenen (es interessiert uns jetzt natürlich die erste Hypothesenserie, die das Eine voraussetzt). Da Plotin seine *Parmenides*-Interpretation nicht in einem Kommentar ausführte,[7] und die Auslegungen der meisten anderen genannten Autoren verschollen sind,[8] können wir eine Vorstellung von dieser Interpretation am ehesten aus den Kommentaren des Proklos und des Damaskios gewinnen (wobei jedoch der erste Kommentar nur für die erste Hypothese,[9] der zweite für alle anderen, die erste ausgenommen, erhalten ist[10]).

---

7   Vgl. *Plotin*, Enn. V,1 (10), 8,23-27.

8   Vgl. dazu *J. Combès*, Introduction, in: Damascius, Commentaire du Parménide de Platon, ed. L. G. Westerink, I (Paris 1997) IX-XXXVII, hier bes. X-XX.

9   Eine Vorstellung von der Interpretation des Proklos kann teilweise aufgrund seiner *Theologia Platonica* und aufgrund des (von ihm abhängigen) Kommentars durch Damaskios gewonnen werden, vgl. dazu *C. Luna, A.-Ph. Segonds*, Introduction générale, in: Proclus, Commentaire sur le Parménide de Platon, I/1 (Paris 2007) XXXVI-XLV und CII-CV.

10   Der Kommentar des Damaskios (hg. v. L. G. Westerink, I-IV, Paris 1997-2003) ist in seiner erhaltenen Form zu zwei Dritteln der zweiten Hypothese in ihrer reichen Gliederung in eine intelligible, eine intelligibel-intellektive und eine intellektive Ordnung (sowie auch in weitere überkosmische, überkosmisch-kosmische und kosmische Ordnungen) gewidmet. Etwas überraschend finden wir gleich am Anfang einen Exkurs über Zeit und Ewigkeit (*Damaskios*, In Parm.: Westerink I, 21,5 – 22,22), der aus Antworten auf Einzelprobleme der Konzeption des Proklos besteht. Die Ewigkeit ($\alpha\grave{\iota}\acute{\omega}\nu$) wird zugleich in ihrer Beziehung zur Ganzheit ($\acute{\delta}\lambda\acute{\delta}\tau\eta\varsigma$) und zum Leben ($\zeta\omega\acute{\eta}$) im Rahmen der zweiten intelligiblen Ordnung behandelt (*Damaskios*, In Parm.: Westerink I, 23,1 – 70,17). Der Zeit schenkt Damaskios im Rahmen der zweiten Hypothese seine Aufmerksamkeit, jedoch in der kosmischen Ordnung, d. h. an ihrem unmittelbaren Ende (*Damaskios*, In Parm.: Westerink III, 180,16 – 198,5). Auch im Rahmen der dritten Hypothese beschäftigt er sich mit der Zeit, weil er da die Zeitlichkeit und Nicht-Zeitlichkeit der Seele (*Damaskios*, In Parm.: Westerink IV, 8,23 – 10,18; 11,20 – 12,24) und auch die unteilbare und daher nicht-zeitliche Natur der „Plötzlichkeit" ($\acute{\epsilon}\xi\alpha\acute{\iota}\varphi\nu\eta\varsigma$) behandelt, die er der Teilbarkeit des „Nun" entgegenstellt (*Damaskios*, In Parm.: Westerink IV, 29,1 – 33,20). Die Zeitauffassung nach Damaskios – für *H. Leisegang* (Die Begriffe der Zeit und Ewigkeit im späteren Platonismus, Münster i. W. 1913, 49) eine wirklichkeitsferne Spekulation – wird durch *S. Sambursky* und *S. Pines* (The Concept of Time in Late Neoplatonism. Texts with Translation, Introduction and Notes, Jerusalem 1971, 18-21) auf eine sehr spannende Weise interpretiert. Vgl. dazu auch *A. Levi*, Il concetto del tempo nelle filosofie dell'età romana, Rivista critica di storia della filosofia 7 (1952) 173-200 (zu Damaskios 195-197); *H. Meyer*, Das Corollarium de Tempore des Simplikios und die Aporien des Aristoteles zur Zeit (Meisenheim am Glan 1969) (es wird durchlaufend auf

In Anknüpfung an seinen „Großvater" Plutarch von Athen[11] (den Lehrer seines Lehrers Syrianus) erklärt Proklos die einzelnen Hypothesen der ersten Hypothesenserie des platonischen *Parmenides* wie folgt: Die erste Ebene betrifft nach dieser Systematisierung Gott oder „das Eine, das allem vorausgeht". Die zweite umfasst den ganzen (weiter gegliederten) Bereich des Intellekts. Die dritte Ebene ist auf die Seele zu beziehen, in der vierten werden die inkarnierten Formen oder die Natur behandelt. Die fünfte ist schließlich der Materie bzw. dem Körper reserviert.[12]

Die Strategie des Dionysius (der jedoch weder den *Parmenides* noch seine Hypothesen erwähnt) besteht darin, das Eine der ersten und das Eine der zweiten Hypothese zu verbinden, und sich ihm auf dem Weg der negativen bzw. der positiven Theologie zu nähern und zwar als dem Ziel bzw. dem Anfang aller Aussagen, die von ihm aufgrund des von ihm Verursachten zu treffen sind.[13] Dieses Vorhaben erinnert unter den neuplatonischen *Parmenides*-Interpreten am meisten an Porphyr (dessen Kommentar jedoch verloren gegangen ist)[14] bzw. an das Fragment des anonymen Kommentars (Codex Taurinensis, F VI 1), der ihm manchmal zugeschrieben wird.[15] Was die Frage von Ewigkeit und Zeit als Gottesnamen betrifft, halte ich jedoch die Auffassung des Proklos für den besten Schlüssel zu den Ausführungen des Areopagiten, wie wir noch im Weiteren sehen werden.

Damaskios Bezug genommen); *M.-C. Galperine*, Le temps intégral selon Damascius, Études philosophiques 3 (1980) 325-341; *Ph. Hoffmann*, Paratasis. De la description aspectuelle du verbes grecs à une définition du temps dans le néoplatonisme tardif, Revue des études grecques 95 (1983) 1-26 (zu Damaskios 13-25).

11   Vgl. *Proklos*, In Parm. VI: V. Cousin (Paris 1864) 1058,22.

12   *Proklos*, In Parm. VI: Cousin 1059,3-7 (über Plutarch); In Parm. VI: Cousin 1063,18–1064,12 (über Syrianus); *Proklos*, Elem. theol. 21: E. R. Dodds (Oxford 19632, Reprint 1971) 24,22-33. Die Aufteilung des platonischen *Parmenides* in die einzelnen Hypothesen wird durch J. Combès rekonstruiert, vgl. *J. Combès*, Introduction, XXVII-XXVIII; aufgrund des Damaskios' Kommentars ähnlich für Proklos C. Luna, A.-Ph. Segonds, Introduction générale, XLI.

13   Vgl. *E. Corsini*, Il trattato, 43 f., 165; *M. Ninci*, L'universo e il non-essere. I: Trascendenza di Dio e molteplicità del reale nel monismo dionisiano (Roma 1980) 22-28; *S. Klitenic Wear, J. Dillon*, Dionysius the Areopagite, 15 f.

14   Vgl. *S. Klitenic Wear, J. Dillon*, Dionysius the Areopagite, 45-48 und 132.

15   Vgl. *S. Lilla*, Pseudo-Denys l'Aréopagite, 118-135. Zu Porphyrs vorausgesetzten Verfasserschaft des anonymen Kommentars vgl. *P. Hadot*, Porphyre et Victorinus, I-II (Paris 1968) (hier auch die Herausgabe des Textes); einen Überblick der Diskussion bringt *V. Němec*, Theorie des göttlichen Selbstbewusstseins im anonymen Parmenides-Kommentar, Rheinisches Museum 154 (2011) (im Druck).

Der Gottesname „der Alte der Tage" erscheint in diesem Kontext deswegen interessant, weil er – so Dionysius – die Benennung Gottes als „Zeit" impliziert. Dies findet zwar in der zweiten Hypothese der platonischen Übung eine deutliche Stütze (Parm. 151e-153b), nach den neuplatonischen Kommentatoren müsste jedoch die Zeit der physikalischen Welt eigentlich erst der vorwiegend in der dritten Hypothese behandelten Seele vorbehalten sein (als dritte Hypothese galten die Ausführungen Platons von der „Plötzlichkeit", τὸ ἐξαίφνης, in Parm. 155e4-157b5).[16] Zu dieser Frage komme ich am Schluss meines Beitrags zurück, nachdem ich die Auslegung des Namens „der Alte der Tage" in DN 10,2-3 vorgestellt habe.

I. Die Transzendenz und Immanenz Gottes der Ewigkeit und der Zeit gegenüber

Seine Auslegung des Titels „der Alte der Tage" eröffnet Dionysius mit einer Behauptung der Transzendenz und der Immanenz Gottes der Ewigkeit und der Zeit gegenüber. Dies entspricht völlig seiner theologischen Strategie, kataphatische und apophatische Aussagen von der Gottheit zu treffen:

> Als den „Alten der Tage" preist man Gott ferner, weil er für alles Ewigkeit und Zeit, aber auch vor Tagen sowie vor Ewigkeit und Zeit ist.[17]

Die ganze dem Namen „der Alte der Tage" gewidmete Passage ist eigentlich eine Ausführung dieses doppelten Aspekts der Transzendenz (πρὸ ἡμερῶν καὶ πρὸ αἰῶνος καὶ χρόνου) und der Immanenz Gottes (πάντων αὐτὸν εἶναι καὶ αἰῶνα καὶ χρόνον) im Bezug auf Ewigkeit und Zeit.

---

16   Nach Damaskios befasst sich die dritte Hypothese mit der „Seele, die in den Bereich der Entstehung herab- und von da aus wieder hinaufsteigt" (In Parm.: Westerink IV, 3,9 f.), und daher auch mit der „wirklichen Entstehung und einer anderen Zeit [als in der zweiten Hypothese], die gleich so, gleich wieder anders ist" (In Parm.: Westerink IV, 4,11 f.). Zur christologischen Applikation der „Plötzlichkeit" (ἐξαίφνης) durch Dionysius vgl. W. *Beierwaltes*, Dionysius Areopagites – ein christlicher Proklos?, in: *Ders.*, Platonismus im Christentum (Frankfurt a. M. 1998) 44-84, bes. 80-84; E. *Moutsopoulos*, La fonction catalytique de l'ἐξαίφνης chez Denys, Diotima 23 (1995) 9-16.

17   DN 10,2: PTS 33, 215,8 f.: «Ἡμερῶν» δὲ «παλαιὸς» ὁ θεὸς ὑμνεῖται διὰ τὸ πάντων αὐτὸν εἶναι καὶ αἰῶνα καὶ χρόνον καὶ πρὸ ἡμερῶν καὶ πρὸ αἰῶνος καὶ χρόνου. Die deutsche Übertragung ist hier und im Weiteren von B. R. *Suchla*, Pseudo-Dionysius Areopagita, Die Namen Gottes, BGrL 26 (Stuttgart 1988) 92 f., übernommen (oder wird zu dieser Übersetzung zugesehen).

„Der Alte der Tage" (hebr. עַתִּיק יוֹמִין) kommt in der Vision des Propheten Daniels als ein Titel des ehrwürdigen göttlichen Richters vor, der nach der Vernichtung des Hauptfeindes auch den übrigen Feinden „eine (gewisse) Zeit und einen (bestimmten) Augenblick" (ἕως χρόνου καὶ καιροῦ, Dan 7,12) beimisst. Der Sieg soll dagegen dem „Menschensohn" zuteilwerden, dessen Herrschaft als „ewig" (αἰώνιος) und dessen Königreich als „unsterblich" gelten (οὐ μὴ φθαρῇ) (Dan 7,14).

Aus dieser Vision (Dan 7,9-14) übernimmt Dionysius nicht nur den Namen des göttlichen Richters „der Alte der Tage", sondern wahrscheinlich auch den Gegensatz zwischen dessen hohen Alter und der (vorausgesetzten) Jugend des „Menschensohnes", den er mit dem parmenideischen Paar „älter-jünger" kombiniert. „Die Zeit und der Augenblick", die der Richter den Feinden bestimmt, zeigen nach Dionysius Gott als den Urheber der Zeit; die „ewige" Herrschaft des Menschensohnes deutet dagegen an, dass auch die Ewigkeit Gott gehört.

> Gleichwohl muß man ihn auf Gott gemäße Weise als Zeit, Tag, Augenblick und Ewigkeit bezeichnen, da er ... der Urheber von Ewigkeit, Zeit und Tagen ist.[18]

Zu dieser Begründung, die mit seinen theologischen Grundsätzen übereinstimmt (von Gott wird dasjenige ausgesagt, dessen Ursache er ist), fügt Dionysius – etwas überraschend – noch eine weitere Begründung hinzu:

> ... da er bei jeder Bewegung dennoch unveränderlich und unbewegt ist, da er in seiner ewigen Beweglichkeit doch in sich selbst verbleibt.[19]

Die Gleichzeitigkeit von Bewegung und Ruhe setzt Proklos für den Intellekt in seiner Verschiedenheit vom Einen voraus, wenn er im Rahmen seiner Auslegung der ersten Hypothese des *Parmenides* dem Einem die Teilhabe an der Zeit abspricht: „Der ganze Intellekt (jeder Intellekt) bewegt sich und ruht; das Eine zeigt sich dagegen als weder in Bewegung noch ruhend."[20] Das Eine der ersten Hypothese hat, so Proklos, keinen Anteil an der Bewegung und Ruhe, nicht einmal in dem Sinne, in dem der Intellekt an ihnen teilhat, und erst recht hat es – anders als die Seele – keinen Anteil an der Zeit. Deswegen kann es „weder jünger noch älter" (μήτε νεώτερον αὐτὸ μήτε πρεσβύτερον) noch des

---

18 DN 10,2: PTS 33, 215,10-13: Καίτοι καὶ χρόνον καὶ ἡμέραν καὶ καιρὸν καὶ αἰῶνα θεοπρεπῶς αὐτὸν προσρητέον ... ὡς αἰῶνος καὶ χρόνου καὶ ἡμερῶν αἴτιον.

19 DN 10,2: PTS 33, 215,11 f.: ὡς ὄντα κατὰ πᾶσαν κίνησιν ἀμετάβλητον καὶ ἀκίνητον καὶ ἐν τῷ ἀεὶ κινεῖσθαι μένοντα ἐφ᾽ ἑαυτοῦ.

20 *Proklos*, In Parm. VII: Cousin 1213,1-3: νοῦς πᾶς κινεῖται καὶ ἕστηκε, τὸ δὲ ἓν δέδεικται μήτε κινούμενον μήτε ἑστώς.

gleichen Alters, weder sich selbst noch dem Anderen gegenüber sein.[21] Sehr wahrscheinlich hat Proklos die Vorstellung des Intellekts, der zugleich an der Bewegung und an der Ruhe teilhat, in seinem Kommentar zur zweiten Hypothese (des „seienden Einen"), der jedoch leider verschollen ist, detaillierter ausgeführt. Dionysius (sofern er aus Proklos schöpfte) übernimmt jedenfalls nicht die Transzendenz des Einen gegenüber der Zeit, Bewegung und Ruhe, sondern benutzt umgekehrt die Gleichzeitigkeit von Bewegung und Ruhe in Gott als eine Begründung dessen, dass von Gott sogar auch die Zeit ausgesagt werden kann.

Was die Bezeichnung als „Augenblick" oder „eine bestimmte Zeit" (καιρός) betrifft, knüpft Dionysius höchstwahrscheinlich an deren Vorkommen in Daniel an, wo „der Alte der Tage" den Feinden „die Zeit und den Augenblick (eine bestimmte Zeit)" (Dan 7,12) beimisst. Die Bezeichnung Gottes als „Zeit, Tag, Augenblick und Ewigkeit" erinnert jedoch zugleich an Proklos' Polemik gegen die Auffassung des ersten Gottes als „Augenblick" (καιρός), des zweiten als „Ewigkeit" (αἰών), des dritten als „Zeit" (χρόνος), die auf der pythagoreischen Vorstellung des ersten Gottes als „Augenblick" gründen mag.[22] Im Unterschied zu Proklos will Dionysius jedoch alle diese Aussagen der Gottheit nicht nur absprechen, sondern auch zusprechen.

II. Älteres und Jüngeres

In der Übung des *Parmenides* wird mit der Aussage über die Zeit auch die Behauptung verknüpft, dass das Eine, sofern es an der Zeit teilhat, zugleich „jünger und älter" sich selbst und den Anderen gegenüber ist und wird.[23] Wahrscheinlich

---

21 *Proklos*, In Parm. VII: Cousin 1213,9-12.

22 *Proklos*, In Parm. VII: Cousin 1216,16-20.28-30: ... τὸν μὲν πρῶτον θεὸν καιρὸν ἀποκαλεῖν, τὸν δὲ δεύτερον αἰῶνα, περὶ δὲ τὸν τρίτον ἐνταῦθα καταλείπειν τὸν χρόνον, ἵνα δὴ χρόνου καὶ αἰῶνος ἐπέκεινα φυλάττηται τὸ ἕν ... εἰ καὶ τοῖς Πυθαγορείοις ἐδόκει τὸ πάντων πρῶτον καιρὸν ἀποκαλεῖν δι' ἥντινά ποτε αἰτίαν. Vgl. dazu E. *Corsini*, Il trattato, 103, Anm. 28. Zur pythagoreischen Verknüpfung des Ausdrucks καιρός für die Sieben, die im Rahmen der ersten Zehn weder eine Zahl produziert noch von einer anderen produziert wird, mit der jungfräulichen Göttin Athene, vgl. *Alexander von Aphrodisias*, In Met. 985b26: M. Hayduck, CAG 1 (Berlin 1891) 38,1 – 39,8; ähnlich *Alexander von Aphrodisias*, In Anal. pr. 48b33: M. Wallies, CAG 2/1 (Berlin 1883) 365,22; *Asklepios*, In Met. 985b23: H. Hayduck, CAG 6/2 (Berlin 1888) 34,21.

23 *Platon*, Parm. 151e3-5: Ἆρ' οὖν καὶ χρόνου μετέχει τὸ ἕν, καὶ ἔστι τε καὶ γίγνεται νεώτερόν τε καὶ πρεσβύτερον αὐτό τε ἑαυτοῦ καὶ τῶν ἄλλων.

durch diese Stelle inspiriert, erörtert Dionysius die beiden Aussagen „älter" (πρεσβύτερος) und „jünger" (νεώτερος), für die er im „Alten der Tage" bzw. im „Menschensohn" aus der Vision des Daniel und anderswo in der Schrift Parallelen findet. „Älter" bedeutet nach seiner Auslegung, dass Gott „von Anfang an" (τὸν ἀρχαῖον und ἀπ' ἀρχῆς, vgl. Joh 1,1),[24] „jünger" dagegen, dass er „nicht alternd" (τὸν ἀγήρω) (vgl. Hebr 13,8) ist. Die Verknüpfung beider Aussagen zeigt, dass Gott „von Anfang an durch alles hindurch bis hin zum Ende fortschreitet" (τὸ ἐξ ἀρχῆς διὰ πάντων ἄχρι τέλους αὐτὸν προϊέναι) (Offb 21,6).[25] Diese letzte Behauptung ist eine Art „zeitliche" Variation der „räumlichen" Vorstellung, dass Gott in sich alles umfasst und allem, was er durch seine Regierung durchdringt, nahe ist, wie sie Dionysius mit dem Namen „der Allherrschende" verknüpft (DN 10,1).

„Älter" und „jünger" lässt jedoch auch eine andere Auslegung zu, die Dionysius „unserem göttlichen Einweiher" (ὁ θεῖος ἡμῶν ἱεροτελεστής) zuschreibt (es handelt sich also nicht mehr um eine biblische Deutung).[26] Gott als Anfang bedeutet nämlich nicht notwendig eine zeitliche Priorität (τὸ πρῶτον ἐν χρόνῳ), sondern kann auch den Anfang in dem Sinne ausdrücken, in dem die Einheit der „Anfang" oder das Prinzip der Zahlen ist (τὸ κατ' ἀριθμὸν ἀρχαιότερον):[27]

Die Eins nämlich und die Zahlen in ihrer Nähe stehen am Anfang gegenüber denjenigen, die weit vorgerückt sind.[28]

---

24 Zu Dionysius' Vorstellung Gottes als des Anfangs vgl. *B. Brons*, Gott und die Seienden. Untersuchungen zum Verhältnis von neuplatonischer Metaphysik und christlicher Tradition bei Dionysius Areopagita (Göttingen 1976) 208-211.

25 DN 10,2: PTS 33, 215,14-17.

26 DN 10,2: PTS 33, 215,17 f. Dionysius meint höchstwahrscheinlich seinen Lehrer Hierotheus, der in DN 3,2 und 3,3 (PTS 33, 139,17 f.; 143,8) erwähnt wird. Die Identität dieser Gestalt ist ebenso rätselhaft wie die des Dionysius. Nicht ganz sicher erscheint die durch Sheldon-Williams vorgetragene Hypothese, nach der es sich um eine historische Figur handelt, vielleicht um einen Zeitgenossen des Dionysius, nämlich einen durch den nachplotinischen Neuplatonismus beeinflussten christlichen Bischof (vgl. *I. P. Sheldon-Williams*, The Ps.-Dionysius and the Holy Hierotheus, StPatr 8/2 [1966] 108-117). Wahrscheinlicher ist, dass es um eine Fiktion des Dionysius geht (so z. B. *J. M. Rist*, Pseudo-Dionysius, Neoplatonism and the Weakness of the Soul, in: H. J. Westra [ed.], From Athens to Chartres. Neoplatonism and Medieval Thought. Studies in Honour of Edouard Jeauneau [Leiden 1992] 135-161, hier 147-150 und 161).

27 DN 10,2: PTS 33, 215,18-20: τοῦ ἑκατέρου τὴν ἀρχαιότητα τὴν θείαν ὑποδηλοῦντος, τοῦ μὲν πρεσβυτέρου τὸ πρῶτον ἐν χρόνῳ, τοῦ νεωτέρου δὲ τὸ κατ' ἀριθμὸν ἀρχαιότερον ἔχοντος.

28 DN 10,2: PTS 33, 215,20 – 216,1: ἡ μονὰς καὶ τὰ περὶ μονάδα τῶν ἐπὶ πολὺ προεληλυθότων ἀριθμῶν ἀρχηγικώτερα.

Diese Art von „Anfang" knüpft deutlich an die Ausführungen Platons in der
zweiten Hypothese des *Parmenides* vom Einen an, das „früher" entsteht und
daher „älter" erscheint als die zählbaren Dinge[29] (obwohl Dionysius nicht vom
„Einen" und den zählbaren Dingen, sondern von der Eins, ἡ μονάς, und den
Zahlen spricht). In dieser Deutung würde Gott sich selbst gegenüber „älter" und
„jünger" sein, sofern er zugleich der Anfang ist und die aus ihm hervorge-
gangenen Dinge umschließt.

III. Ewigkeit und Zeit

Im folgenden Teil seiner Ausführungen erörtert Dionysius die Begriffe „Ewigkeit" (αἰών) und „Zeit" (χρόνος). Er beobachtet, dass in der Heiligen Schrift
nicht nur das „gänzlich und absolut Ungewordene (ἀγένητα) und wahrhaft
Ewige (ὄντως ἀίδια)" als „ewig" (αἰώνια) bezeichnet wird, sondern auch
dasjenige, was nur „unverdorben, unsterblich, unveränderlich und immer gleich"
erscheint. Als Beispiel dieser letzten Anwendung nennt er den Vers: „Hebt euch,
ihr ewigen Pforten (πύλαι αἰώνιοι)!" (Ps 23[24],7.9). „Die Ewigkeit" kann
damit auch „die gesamte Ausdehnung unserer Zeit" (τὴν ὅλην ... τοῦ καθ'
ἡμᾶς χρόνου παράτασιν) bezeichnen, insofern sie ein Maß des Uralten,
Unveränderlichen und des Seins überhaupt ist (τὸ καθόλου τὸ εἶναι μετρεῖν).
Durch die Zeit wird dagegen dasjenige charakterisiert, was „im Entstehen, im
Untergang, im Verändern, das eine Mal auf diese, ein andermal auf jene Weise
vorhanden ist".[30]

In dieser Passage können wir eine dreifache Art des Seins unterscheiden:
(1) Das wahrhaft Ewige (ὄντως ἀίδια), auch als „ewig" (αἰώνια) bezeichnet,
wird nicht detaillierter erörtert; wir können jedoch schließen, dass es nach
Dionysius als die eigentliche Ewigkeit betrachtet und mit dem Ausdruck ἀιδιότης verknüpft wird. (2) Die „Ewigkeit" kann jedoch auch die gesamte
Ausdehnung der Zeit oder sogar eine sehr lange Zeitspanne bezeichnen, nämlich
„das Ewige" (αἰώνια) im Sinne von alt, unsterblich usw., etwas, das einen
Anfang oder ein Ende hat. (3) Die Zeit (χρόνος) im eigentlichen Sinne

---

29 *Platon*, Parm. 153b1-2.6-7: Πάντων ἄρα τὸ ἓν πρῶτον γέγονε τῶν ἀριθμὸν ἐχόντων
... καὶ οὕτως ἂν εἴη τἆλλα νεώτερα τοῦ ἑνός, τὸ δὲ ἓν πρεσβύτερον τῶν ἄλλων.

30 DN 10,3: PTS 33, 216,2-11: τὸν ἐν γενέσει καὶ φθορᾷ καὶ ἀλλοιώσει καὶ ἄλλοτε
ἄλλως ἔχοντα.

betrifft letztlich das Entstehende, Vergehende, Veränderliche und jeweils anders Seiende.[31]

Diese dreifache Art des Seins hat eine Parallele bei Proklos; auch er unterscheidet zwischen dem „ewiglich Ewigen" (τῶν αἰωνίως ἀιδίων) (vgl. 1 oben), dem Entstandenen, das in einem Teil der Zeit besteht (τῶν ἐν μέρει χρόνου γενητῶν) (vgl. 3 oben), und letztlich dem zwar Entstandenen, das jedoch eine unbegrenzte Zeit besteht (τὴν κατὰ τὸν ἄπειρον χρόνον γενητὴν ὑπόστασιν) und damit eine Mitte (μεταξύ) zwischen den beiden vorigen bildet (vgl. 2 oben).[32] Auch diese Zwischenstufe (2), nicht nur das „ewiglich Ewige" (1), wird von Proklos als ἀιδιότης bezeichnet. Er unterscheidet daher eine ἀιδιότης im Sinne der „Ewigkeit" (κατὰ τὸν αἰῶνα) (1), und eine im Sinne der „gesamten Zeit" ([κατὰ] τὸν ὅλον χρόνον) (2).[33] Dieses Exposé des Proklos aus seinem *Timaeus*-Kommentar hat eine interessante Parallele auch in seiner *Elementatio theologica*, wo zwischen dem Ewigen und dem Zeitlichen ebenfalls eine Zwischenstufe vorausgesetzt wird, diesmal als „das immer Entstehende" (τὸ ἀεὶ γινόμενον) charakterisiert.[34] Proklos beschreibt hier zugleich die beiden Arten der Ewigkeit (ἀιδιότης) – (1) und (2) oben – nämlich die ewige (αἰώνιος), stehende, unausgedehnte, zugleich ganz bei sich seiende und die zeitliche (κατὰ χρόνον), entstehende, ausgedehnte, in ihren Teilen entsprechend dem Zuvor und Danach fortschreitende.[35]

---

31 Vgl. ähnlich *E. Corsini*, Il trattato, 101, Anm. 27.

32 Diese Mittelstufe hat nach Proklos sogar zwei Varianten: entweder sind seine Teile in verschiedene Zeitphasen aufgeteilt (wie bei den Elementen), oder das Ganze ist mit allen seinen Teilen in allen Zeitphasen gegenwärtig (wie bei den Himmelskörpern). Vgl. die folgende Anm.

33 *Proklos*, In Tim.: E. Diehl, I (Leipzig 1903) 278,3-11: ὅτι δεῖ τῶν αἰωνίως ἀιδίων καὶ τῶν ἐν μέρει χρόνου γενητῶν εἶναι μεταξὺ τὴν κατὰ τὸν ἄπειρον χρόνον γενητὴν ὑπόστασιν, καὶ ταύτην διττήν, ἢ τὸ μὲν ὅλον ἀίδιον ἔχουσαν εἰς τὸν ὅλον χρόνον, τὰ δὲ μέρη ἐν μέρεσι τοῦ χρόνου, οἷα τὰ τῇδε στοιχεῖα, ἢ καὶ τὸ ὅλον καὶ τὰ μέρη συμπαρατείνοντα πρὸς τὴν ἀιδιότητα τοῦ χρόνου παντός, ὡς τὰ οὐράνια· οὐ γάρ ἐστιν ἡ αὐτὴ ἀιδιότης κατὰ τὸν αἰῶνα καὶ τὸν ὅλον χρόνον· οὐδὲ γὰρ ἡ αὐτὴ ἀπειρία χρόνου καὶ αἰῶνος· οὐδὲ γὰρ ταὐτὸν αἰὼν καὶ χρόνος.

34 *Proklos*, Elem. theol. 55: Dodds 52. Durch diese Charakterisierung wird jedoch das Entstehende als Gegensatz zum Seienden in *Platons* Tim. 27d6-28a1 beschrieben.

35 *Proklos*, Elem. theol. 55: Dodds 52,30–54,3: ἐκ δὴ τούτων φανερὸν ὅτι διττὴ ἦν ἡ ἀιδιότης, αἰώνιος μὲν ἄλλη, κατὰ χρόνον δὲ ἄλλη· ἡ μὲν ἑστῶσα ἀιδιότης, ἡ δὲ γινομένη· καὶ ἡ μὲν ἠθροισμένον ἔχουσα τὸ εἶναι καὶ ὁμοῦ πᾶν, ἡ δὲ ἐκχυθεῖσα καὶ ἐξαπλωθεῖσα κατὰ τὴν χρονικὴν παράτασιν· καὶ ἡ μὲν ὅλη καθ' αὑτήν, ἡ δὲ ἐκ μερῶν, ὧν ἕκαστον χωρίς ἐστι κατὰ τὸ πρότερον καὶ ὕστερον.

Während also Proklos die ἀιδιότης als eine breitere Bezeichnung versteht und der Ewigkeit im eigentlichen Sinne den Namen αἰών reserviert, benutzt Dionysius beide Begriffe gerade umgekehrt. Wahrscheinlich unter dem Einfluss des biblischen Ausdrucks עוֹלָם (Weltalter), der als αἰών übertragen wird, versteht er die „Ewigkeit" als eine breitere und weniger bestimmte Bezeichnung, während er die Charakterisierung ἀίδιον für die eigentliche Ewigkeit, d.h. für Gott, vorbehält. Dafür spricht auch die Präzisierung, die Dionysius später hinzufügt:

> Es ist daher nicht gestattet zu glauben, daß das als ewig (τὰ αἰώνια) Bezeichnete einfachhin zusammen mit Gott, dem vor der Ewigkeit (πρὸ αἰῶνος) Seienden, mit ewig (συναΐδια) ist.[36]

Die Zwischenstufe (2) zwischen Ewigkeit und Zeit, also die Ewigkeit im breiteren Sinne, interessiert Dionysius höchstwahrscheinlich wegen der Teilhabe an Ewigkeit und Zeit, die den Menschen charakterisiert:

> Deswegen verkündet auch die göttliche Offenbarung, daß wir, obwohl wir hier zeitlich begrenzt sind, an der Ewigkeit Anteil haben werden, sobald wir die unvergängliche und immer auf dieselbe Weise anhaltende Ewigkeit erreicht haben.[37]

Die Teilhabe an der Zeit bzw. der Ewigkeit (αἰών) scheint nach der zitierten Passage das irdische bzw. das kommende Leben zu betreffen. Es handelt sich also weder um die „gesamte Ausdehnung der Zeit", in dem Sinne, in dem Dionysius und Proklos von ihr sprechen, noch um eine lange Dauer, die durch die „ewigen Pforten" in der Bibel angedeutet zu werden scheint, sondern um die Vergänglichkeit bzw. Unvergänglichkeit, d.h. die Zeit bzw. Ewigkeit, wie sie dem Menschen in seinem irdischen bzw. ewigen Leben zuteilwerden. Diesen Modus versteht Dionysius auch als eine Art Mitte zwischen Zeit und Ewigkeit, nämlich als einen Anteil an beiden:

> (Es ist vielmehr nötig, daß wir) das Ewige und in der Zeit Seiende als in der Mitte zwischen dem Seienden und dem Werdenden Liegendes verstehen, was teils an der Ewigkeit, teils an der Zeit Anteil hat.[38]

---

36   DN 10,3: PTS 33, 216,16 f.
37   DN 10,3: PTS 33, 216,11-13: Διὸ καὶ ἡμᾶς ἐνθάδε κατὰ χρόνον ὁριζομένους αἰῶνος μεθέξειν ἡ θεολογία φησίν, ἡνίκα τοῦ ἀφθάρτου καὶ ἀεὶ ὡσαύτως ἔχοντος αἰῶνος ἐφικώμεθα. Vgl. 1 Kor 15,53 f.
38   DN 10,3: PTS 33, 216,18-20: αἰώνια μὲν καὶ ἔγχρονα κατὰ τοὺς συνεγνωσμένους αὐτοῖς προσυπακούειν τρόπους μέσα δὲ ὄντων καὶ γιγνομένων, ὅσα πῇ μὲν αἰῶνος, πῇ δὲ χρόνου μετέχει.

In diesem letzten Zitat charakterisiert Dionysius den mittleren Modus, der uns interessiert, als „das in der Mitte zwischen dem Seienden und dem Werdenden Liegende" (μέσα δὲ ὄντων καὶ γιγνομένων). Diese Beschreibung mag an die dritte Hypothese des *Parmenides* erinnern (den Exkurs von der Plötzlichkeit), die von dem Einen voraussetzt, dass es am Sein einmal teilhat, ein andermal nicht, d.h. dass es entsteht und vergeht.[39] Zugleich entspricht jedoch diese Charakterisierung der Seele in Platons *Timaeus*, die aus einer Mischung des unteilbaren, immer auf dieselbe Weise seienden, und des teilbaren, entstehenden Wesens geknetet ist (zusammen mit der unteilbaren und der teilbaren Identität und der unteilbaren und der teilbaren Andersheit).[40] Diese Vorstellung wird jedoch durch Dionysius neu interpretiert: Es handelt sich nicht mehr um die ontologische Stellung der Seele zwischen dem Sein und dem Werden, sondern um die Teilnahme des körperlichen Menschen am Entstehen und Vergehen einerseits, und seinen (eschatologischen) Anteil am Sein andererseits.

Die Ewigkeit gehört nämlich dem Seienden und die Zeit dem Werdenden, wie Dionysius aus der platonischen Tradition weiß (auch Proklos argumentiert gegen andere *Parmenides*-Auslegungen, dass das Werden vom Zeitlichen ausgesagt wird und nicht auf den Bereich des wirklich Seienden und Ewigen übertragbar ist[41]). Dionysius versucht diesen Grundsatz auch in der Heiligen Schrift zu finden, die jedoch in ihren Äußerungen eher inkonsequent erscheint:

Zuweilen wird in der Heiligen Schrift darüber hinaus noch eine zeitliche Ewigkeit (ἔγχρονος αἰών) sowie eine ewige Zeit (αἰώνιος χρόνος)[42] gefeiert, wenn wir auch aus ihr wissen, daß sie vielmehr und eher mit der Ewigkeit das Seiende (τὰ ὄντα) und mit der Zeit das im Werden Befindliche (τὰ ἐν γενέσει) bezeichnet und deutlich macht.[43]

---

39   *Platon*, Parm. 155e6-8; 156b1-2: ὅτι μὲν ἔστιν ἕν, οὐσίας μετέχειν ποτέ, ὅτι δ' οὐκ ἔστι, μὴ μετέχειν αὖ ποτε οὐσίας ... Τὸ ἓν δή, ὡς ἔοικε, λαμβάνον τε καὶ ἀφιὲν οὐσίαν γίγνεταί τε καὶ ἀπόλλυται.

40   Vgl. *Platon*, Tim. 35a1-6: τῆς ἀμερίστου καὶ ἀεὶ κατὰ ταὐτὰ ἐχούσης οὐσίας καὶ τῆς αὖ περὶ τὰ σώματα γιγνομένης μεριστῆς τρίτον ἐξ ἀμφοῖν ἐν μέσῳ συνεκεράσατο οὐσίας εἶδος, τῆς τε ταὐτοῦ φύσεως [αὖ πέρι] καὶ τῆς τοῦ ἑτέρου, καὶ κατὰ ταὐτὰ συνέστησεν ἐν μέσῳ τοῦ τε ἀμεροῦς αὐτῶν καὶ τοῦ κατὰ τὰ σώματα μεριστοῦ.

41   *Proklos*, In Parm. VII: Cousin 1216,10-15: πρὸς οὓς οὐ χαλεπὸν ἀπαντᾶν ἀντιπαρα-τείνοντας τὴν τοῦ Πλάτωνος λέξιν πᾶν τὸ χρόνου μετέχον γίγνεσθαι καὶ γεγο-νέναι λέγουσαν, ὃ μηδέτερον εἰς τὸ ὄντως ὂν καὶ τὰ αἰώνια τῶν πραγμάτων μετάγειν ὁ Τίμαιος παρεκελεύσατο. Vgl. *Platon*, Tim. 38a3-6.

42   Röm 16,25; 2 Tim 1,9; Tit 1,2. Vgl. auch Ps 48(49),10; 76(77),6.

43   DN 10,3: PTS 33, 216,13-15: Τοῖς λογίοις δὲ ἐσθ' ὅτε καὶ ἔγχρονος αἰὼν δοξάζεται καὶ αἰώνιος χρόνος, εἰ καὶ μᾶλλον ἴσμεν αὐτοῖς καὶ κυριώτερον τὰ ὄντα τῷ αἰῶνι καὶ τὰ ἐν γενέσει τῷ χρόνῳ καὶ λεγόμενα καὶ δηλούμενα.

Zum Schluss seiner Ausführungen über die Ewigkeit und Zeit wiederholt Dionysius seine Auffassung von der Immanenz und der Transzendenz Gottes der Ewigkeit und der Zeit gegenüber, die in Proklos' Interpretation des platonischen Gottes eine Parallele findet, dem zugleich „der Anfang, die Mitte und das Ende von allem Seienden" gehört. (Nach einer Diskussion verschiedener Meinungen kommt hier Proklos zu dem Schluss, dass das Eine der Anfang, die Mitte und das Ende aller Dinge ist, aber ausschließlich im Bezug zu ihnen, nicht zu sich selbst, ohne jedoch diese Begriffe zeitlich zu verstehen.)[44]

Dionysius' Behandlung der göttlichen Namen „Ewigkeit" und „Zeit" gipfelt in einem doxologischen (durch ein „Amen" abgeschlossenen) Finale, in dem der Areopagita seine Vorstellung von Gott zusammenfasst, der nicht nur der Zeit und Ewigkeit vorausgeht, sondern der zugleich „Ewigkeit" und „Zeit" (als ihre Ursache) genannt werden kann:

> Gott hingegen müssen wir sowohl als Ewigkeit als auch als Zeit preisen, da er Urheber jeglicher Zeit und der Ewigkeit ist,[45] als den Alten der Tage, da er der Zeit vorausgeht und die Zeit überschreitet und die Augenblicke und Zeiten ändert,[46] zugleich jedoch als den vor der Ewigkeit Bestehenden, insofern als er der Ewigkeit vorausgeht und die Ewigkeit überschreitet, und seine Herrschaft die Herrschaft aller Ewigkeiten ist.[47] Amen.[48]

IV. Gott als Zeit

Die Transzendenz und Immanenz Gottes betrifft damit für Dionysius die Ewigkeit und die Zeit gleichermaßen. Gott übersteigt beide,[49] insofern er jeder Bestimmung entgeht; beides kann jedoch als sein Name gelten, da er die

---

44 *Proklos*, In Parm. VI: Cousin 1113,33 – 1116,20. Vgl. *Platon*, Leg. IV, 715e7 – 716a1: (ὁ θεός) ἀρχήν τε καὶ τελευτὴν καὶ μέσα τῶν ὄντων ἁπάντων ἔχων. Ähnlich auch *Platon*, Parm. 137d4-5.

45 Vgl. Koh 3,11.14; Hebr 1,2.

46 Vgl. Dan 2,21; Ps 89(90).

47 Vgl. Ps 144(145),13; Offb 11,15.

48 DN 10,3: PTS 33, 216,20 – 217,4: Τὸν δὲ θεὸν καὶ ὡς αἰῶνα καὶ ὡς χρόνον ὑμνεῖν, ὡς χρόνου παντὸς καὶ αἰῶνος αἴτιον καὶ παλαιὸν ἡμερῶν, ὡς πρὸ χρόνου καὶ ὑπὲρ χρόνον καὶ ἀλλοιοῦντα «καιροὺς καὶ χρόνους» καὶ αὖθις πρὸ αἰώνων ὑπάρχοντα, καθ᾽ ὅσον καὶ πρὸ αἰῶνός ἐστι καὶ ὑπὲρ αἰῶνα καὶ «ἡ βασιλεία» αὐτοῦ «βασιλεία πάντων τῶν αἰώνων». Ἀμήν.

49 Vgl. auch DN 5,10: PTS 33, 189,14 – 190,1. Ähnlich auch *Proklos* über das Eine, vgl. In Parm. VII: Cousin 1216,19 f.

Ursache von beidem ist. Es kann daher von ihm behauptet werden, wie Dionysius an einer anderen Stelle seiner Abhandlung von den „Göttlichen Namen" erörtert, dass er „die Ewigkeit des Seienden und die Zeit des Entstehenden" sei.[50] Die Zeit, die Ewigkeit und alles andere stammen nämlich aus ihm und haben an ihm teil (αὐτοῦ μετέχει).[51] Man darf sogar sagen, dass er „war", „ist" und „sein wird", und gleichermaßen, dass er „geworden ist", „wird" und „werden wird", da er die Ursache des zeitlichen Verlaufs des Geschaffenen ist.[52]

Es stellt sich jedoch die Frage, ob die Benennung Gottes als „Zeit" nicht die Ebenen der ersten und der zweiten Hypothese der neuplatonischen *Parmenides*-Exegese verlässt, die im theologischen Konzept des Dionysius beide auf den christlichen Gott bezogen werden sollen.

Wir sind nämlich (z.B. als Plotin-Leser[53]) geneigt, die Zeit auf der Ebene der Seele, d.h. der dritten *Parmenides*-Hypothese, zu lokalisieren. Auch Proklos nimmt die Verbindung der Zeit mit der Seele wahr: „Was keinen Anteil an der Zeit hat, kann unmöglich eine Seele sein, da jede Seele an der Zeit teilnimmt und die durch die Zeit gemessenen Perioden braucht."[54] Diese Abhängigkeit der Seele von der Zeit bedeutet jedoch für Proklos keineswegs eine gegenseitige Abhängigkeit, wie er anderswo präzisiert: „Falls etwas an der Seele teilnimmt, nimmt es auch an der Zeit teil, jedoch nicht umgekehrt."[55] Der Grund besteht nicht nur darin, dass „auch das Unbeseelte (ἄψυχα) an der Zeit teilhat", sondern vor allem in Proklos' Vorstellung der Zeit, die „der Seele vorausgeht" (τὸν ἄρα χρόνον ἐπέκεινα ψυχῆς θετέον).[56] Die Zeit ist nämlich nach Proklos nicht die Art des Seins (das Leben) der Seele (wie bei Plotin), sondern eine selbständige Struktur, die zwischen dem Intellekt und der beweglichen Naturwelt ausgedehnt ist. Erst diese Zeitauffassung, wie sie durch Proklos in seiner *Elementatio*

---

50 DN 5,4: PTS 33, 182,21: χρόνων ὀντότης καὶ αἰὼν τῶν ὄντων, χρόνος τῶν γινομένων.

51 DN 5,5: PTS 33, 183,13-15.

52 DN 5,8: PTS 33, 187,4-8. Vgl. dazu *B. Brons*, Gott und die Seienden, 177.

53 Vgl. *Plotin*, Enn. III,7 (45).

54 *Proklos*, In Parm. VII: Cousin 1212,37-40: τὸ δὲ ἄδεκτον χρόνου ψυχὴν ἀδύνατον εἶναι· πᾶσα γὰρ ψυχὴ μετέχει χρόνου καὶ χρῆται περιόδοις ὑπὸ χρόνου μετρουμέναις.

55 *Proklos*, In Tim.: E. Diehl, III (Leipzig 1903) 32,27 f.

56 *Proklos*, In Tim.: Diehl III, 32,28-30. Die Zeitauffassung des Proklos mag durch seine Bemühung beeinflusst werden, an die „besten Theurgen" anzuknüpfen und die Zeit als einen Gott zu verstehen (vgl. *Proklos*, In Tim.: Diehl III, 27,8-10). So zumindest *E. R. Dodds*, Commentary, in: Proclus: The Elements of Theology (Oxford 1964², Reprint 1971) 228.

theologica (53-55) behandelt und etwas detaillierter in seinem *Timaeus*-Kommentar erörtert wird, ermöglicht m. E. den Ausführungen des Areopagiten zu folgen. Daher will ich sie kurz in Erinnerung rufen.[57]

Die Zeitvorstellung des Proklos gründet in seiner Partizipationslehre, die mit je drei Gliedern rechnet: das Partizipierende (τὸ μετέχον), das Partizipierte (τὸ μετεχόμενον) und der nicht partizipierbare Grund dieser Teilnahme (τὸ ἀμέθεκτον). Für den Zeitbegriff bedeutet dies, dass neben den zeitlichen Dingen, die an der Zeit teilhaben, und neben der Zeit, an der diese Dinge partizipieren, auch noch eine nicht partizipierbare Zeit an sich als eine Grundlage der Zeitstruktur vorausgesetzt werden muss.[58]

In seinen Ausführungen geht Proklos nämlich von der Beobachtung Platons aus,[59] dass nichts, nicht einmal das Weltganze, nur in der Bewegung sein kann, sondern in einer Hinsicht immer auch in der Ruhe dauern muss. Daher kann auch die Zeit nicht ganz in der Bewegung sein[60] (obwohl sie von Plato als ein „bewegliches Abbild der Ewigkeit", κινητὴ ... ἡ τοῦ αἰῶνος εἰκών, bezeichnet wird[61]). Da die Zeit „etwas Gezähltes" (ἀριθμητόν τι) ist, setzt sie etwas voraus, wodurch sie gezählt wird (τὸ ἀριθμοῦν) und was ihr vorausgeht.[62] Die „wahre Zeit" ist daher „die Zahl an sich" (αὐτοαριθμός), die die einzelnen Perioden zählt.[63] Daher erscheint die Zeit, so Proklos, einem Kreis ähnlich, der fest in seiner Mitte ruht, dessen Peripherie jedoch in die Dinge in der Bewegung entfaltet oder gesplittert wird. Als „ein hervorgehender Intellekt" (νοῦς τις προϊών) ist die Zeit an sich ewig (αἰώνιος); falls sie jedoch nur ewig wäre, könnte sie den Dingen in der Bewegung nicht ihre numerische Ordnung

---

57 Vgl. dazu *H. Leisegang*, Die Begriffe, 39-48; *A. Levi*, Il concetto del tempo, 187-195; *J. Trouillard*, L'intelligibilité proclusienne, in: La philosophie et ses problèmes. Recueil d'études de doctrine et d'histoire offerts à Monseigneur R. Jolivet (Lyon – Paris 1960) 83-97, hier 92-97; *W. O'Neill*, Time and Eternity in Proclus, Phronesis 7 (1962) 161-165; *W. Beierwaltes*, Proklos. Grundzüge seiner Metaphysik (Frankfurt a. M. 1965) 197 f.; 224-231; *S. Sambursky, S. Pines*, The Concept of Time, 17 f.

58 Vgl. *Proklos*, Elem. theol. 53: Dodds 52.

59 *Platon*, Tht. 181c-183c. Vgl. dazu *Š. Špinka*, Nothing is in itself one (Motion and relation in the context of Protagoras' "secret doctrine" in the Theaetetus), Internationales Jahrbuch für Hermeneutik 10 (2011) 239-267 (im Druck).

60 *Proklos*, In Tim.: Diehl III, 18,19 – 19,2; 32,7-16.

61 *Proklos*, In Tim.: Diehl III, 18,19 f. Vgl. *Platon*, Tim. 37d5.

62 *Proklos*, In Tim.: Diehl III, 32,22-24.

63 *Proklos*, In Tim.: Diehl III, 32,25-27: ἐκεῖνο τοίνυν ἐστὶν ὁ τῷ ὄντι χρόνος, ὅς ἐστιν αὐτοαριθμὸς πασῶν τῶν περιόδων ἑκάστην ἀριθμῶν.

verleihen.[64] Die „unteilbare innere Aktivität" der Zeit dauert, während ihre äußere Aktivität, die in dem von ihr Gemessenen enthalten ist, nach der Zahl vorgeht.[65] Die Zeit, diese „neunte Gabe" des platonischen Demiurgen an seine wunderschöne Schöpfung (nach den Sphären der Sonne, des Mondes und der fünf Planeten),[66] kann daher als eine „kosmische" (ἐγκόσμιος) Zeit die Bewegung nur deswegen begleiten, weil sie in einer „überkosmischen" (ὑπερκόσμιος) Zeit verankert ist, die „dauert" und aus dem Bereich des Intellekts in die kosmischen Perioden „hervorgeht".[67]

Die Zeit ist damit für Proklos „ein in Allem gegenwärtiger Intellekt",[68] der zwischen der beweglichen Seele und dem Intellekt vermittelt, in dem alles auf einmal, obwohl voneinander geschieden, besteht. Ihrem Wesen nach ist die Zeit unbeweglich und beweglich zugleich (ἀκίνητον ὂν ἅμα καὶ κινούμενον); beweglich jedoch nur dank der Dinge in der Bewegung, die an ihr teilhaben und von ihr gemessen werden.[69] Keineswegs kann daher die Zeit nur ein Epiphänomen der Bewegung sein (συμβεβηκὸς συμβεβηκότος);[70] es ist vielmehr eine numerische, d.h. intelligible Struktur, der die Bewegung ihre Ordnung verdankt. Diese ordnende Funktion kann nach Proklos unmöglich nur die individuelle Seele (μερικὴ ψυχή) ausüben,[71] da dazu ein „strengeres Wesen" (κράτιστον οὐσίαν) notwendig ist,[72] das der Seele vorausgeht, wie, so Proklos, auch die Ewigkeit dem Intellekt vorausgeht.[73] Erst in ihren beiden Aspekten, nämlich als eine intelligible Struktur und zugleich als eine durch die Dinge in der Bewegung partizipierte Struktur, ist die Zeit einerseits ein „Abbild der Ewigkeit" und andererseits ihr „bewegliches" Abbild.

---

64 *Proklos,* In Tim.: Diehl III, 26,27 – 27,8.
65 *Proklos,* In Tim.: Diehl III, 19,7-9: μένων οὖν ὁ χρόνος τῇ ἀμερεῖ ἑαυτοῦ καὶ ἔνδον ἐνεργείᾳ τῇ ἔξω καὶ ὑπὸ τῶν μετρουμένων κατεχομένῃ πρόεισι κατ᾽ ἀριθμόν, τουτέστι κατά τινα εἴδη νοερά. Ähnlich *Proklos,* In Tim.: Diehl III, 25,13-16. Zu Proklos' Vorstellung der inneren und äußeren Aktivität vgl. *S. Gersh,* From Iamblichus to Eriugena: An Investigation of the Prehistory and Evolution of the Pseudo-Dionysian Tradition (Leiden 1978) 130-132.
66 *Proklos,* In Tim.: Diehl III, 53,25 f. Vgl. dazu *S. Sambursky, S. Pines,* The Concept of Time, 109 (= Anm. 1 zu S. 54-55).
67 *Proklos,* In Tim.: Diehl III, 53,13-16.
68 *Proklos,* In Tim.: Diehl III, 25,12: … πᾶσι παρόντα νοῦν εἶναι.
69 *Proklos,* In Tim.: Diehl III, 26,2-15.
70 *Proklos,* In Tim.: Diehl III, 27,17 f.
71 *Proklos,* In Tim.: Diehl III, 26,17.
72 *Proklos,* In Tim.: Diehl III, 25,11.
73 *Proklos,* In Tim.: Diehl III, 27,19-24; ähnlich In Tim.: Diehl III, 58,25 – 59,6. Zur Beziehung zwischen der Seele und der Zeit vgl. auch In Tim.: Diehl III, 23,29 – 24,15.

Diese Zeitauffassung, die sich von derjenigen Plotins deutlich abhebt, ist wahrscheinlich vor allem Jamblich verpflichtet, auf den sich Proklos auch beruft.[74] Die Zeit ist hier nicht nur mit der Seele verbunden (und damit auch mit der dritten Hypothese der neuplatonischen *Parmenides*-Deutung), sondern ist zugleich auf der Ebene des Intellekts (d. h. derjenigen der zweiten Hypothese) verankert. Schon auf dieser letzten Ebene befinden sich jedoch nach Proklos die Seelen, und zwar die göttlichen,[75] deren „Tanz und unendliche Bewegung um das Intelligible herum" durch eine „absolute" (ἀπόλυτος καὶ ἄσχετος) Zeit gemessen wird.[76] Die Zeit (deren Name χρόνος nach Proklos von χορόνοός, d. h. νοῦς χορεύων, „der tanzende Intellekt", stammt[77]) ist daher – auch als charakteristisch für die Seele – schon auf der niedrigsten Ebene des Intellekts vertreten, insofern da die göttlichen Seelen lokalisiert werden (diese Vorstellung scheint Proklos seinem Lehrer Syrianus zu verdanken).[78]

Wenn Dionysius „die Zeit" als einen Gottesnamen anwendet, meint er jedoch offensichtlich nicht (oder mindestens nicht nur), dass die Zeit in den göttlichen Seelen gegenwärtig wäre, die um das intelligible Wesen herum tanzen (dies müssten bei Dionysius die Engelchöre sein). Gott ist „die Zeit aller Dinge", wie Dionysius gleich am Anfang seiner Ausführungen sagt, in dem Sinne, dass er einerseits die Ursache der Zeit ist, dass er den einzelnen Wesen (den

---

74 *Proklos*, In Tim.: Diehl III, 33,1 ff.; 51,21-24. Jamblich (nach Simplicius) setzt im Intellekt eine unwandelbare Zeit voraus, d.h. ein unteilbares „Nun" aller Augenblicke, die in der physikalischen Zeit der Sinnenwelt einen Fluss bilden (vgl. *Simplicius*, In Cat.: K. Kalbfleisch, CAG 8, Berlin 1907, 353,19 – 356,7; *Simplicius*, In Phys.: H. Diels, CAG 9, Berlin 1882, 786,11 – 787,28; 792,20 – 795,3). Vgl. dazu *H. Leisegang*, Die Begriffe, 29-34; *A. Levi*, Il concetto del tempo, 185-187; *H. Meyer*, Das Corollarium de Tempore, 42-45; *S. Sambursky, S. Pines*, The Concept of Time, 14-21; *Ph. Hoffmann*, Jamblique exégète du pythagoricien Archytas: trois originalités d'une doctrine du temps, Études philosophiques 3 (1980) 307-323.

75 *Proklos*, In Parm. VI: Cousin 1063,5-8: Τήν γε μὴν τρίτην οὐχ ἁπλῶς εἶναι καὶ περὶ πάσης ψυχῆς, ἀλλ᾽ ὅση μετὰ τὴν θείαν προελήλυθε· πᾶσαν γὰρ τὴν θείαν ἐν τῇ δευτέρᾳ περιέχεσθαι.

76 *Proklos*, In Parm. VII: Cousin 1217,13-27. Zum intelligiblen Tanz vgl. *W. Beierwaltes*, Proklos, 212-217.

77 *Proklos*, In Tim.: Diehl III, 38,1 f. Zu dieser allegorischen Etymologisierung vgl. *H. Leisegang*, Die Begriffe, 46 f.; *J. Trouillard*, L'intelligibilité, 94; *W. Beierwaltes*, Proklos, 141. Proklos scheint in diesem Punkt von Jamblich abzuweichen, der die Etymologie des Wortes χρόνος von χορείᾳ τινὶ τοῦ νῦν (einem Tanz des „Nun") zu entwickeln scheint (vgl. *Simplicius*, In Phys.: CAG 9, 786,31). Vgl. dazu *H. Meyer*, Das Corollarium de Tempore, 34 und 74.

78 *Proklos*, Theol. Plat. I,11: H. D. Saffrey – L. G. Westerink, I (Paris 1968) 49,18–50,12.

feindlichen „Tieren" in der Vision des Daniel) ihre Zeit ausmisst und dass er andererseits die gesamte Zeit vom Anfang bis zum Ende „durchdringt". Diese Vorstellung kommt der nicht partizipierten und der partizipierten Zeit bei Proklos sehr nahe. Als ob Dionysius im Gottesnamen „Zeit" (in ihrer Transzendenz und Immanenz zugleich) die Aussagen von der (nicht partizipierten) Grundlage der Zeit im Intellekt mit denjenigen von der (partizipierten) Zeit, die das Zeitliche durchdringt, verbinden wollte. Dadurch verknüpft er eigentlich die Benennungen, die der zweiten und der dritten (nicht nur der ersten und der zweiten) neuplatonischen Wirklichkeitsebene (oder Hypothese der *Parmenides*-Exegese) entnommen werden.

Dionysius weiß sehr wohl, dass sich, je tiefer wir auf der ontologischen Skala herabsteigen, desto mehr die von dorther übernommenen Namen von Gott entfernen (wie er in seiner *Mystischen Theologie* bemerkt).[79] Andererseits gilt natürlich für alle positiven Aussagen, die von dem durch Gott Verursachten übernommen werden, dass keine von ihnen Gott völlig adäquat sein kann. In unserem Passus spricht Dionysius jedenfalls von „Ewigkeit" und „Zeit" in einem Zug, ohne auf eine Verschiedenheit der ontologischen Ebenen aufmerksam zu machen, ohne anzudeuten, dass das eine noch weniger adäquat als das andere sein sollte. Gott ist der Urheber der Ewigkeit des Seienden, wie auch der Zeit des Entstehenden und Vergehenden. Deswegen können „Ewigkeit" und „Zeit" von ihm ausgesagt werden, ohne dass ihm jedoch eine dieser Aussagen im eigentlichen Sinne gehören würde.

Die am ehesten adäquate Aussage scheint in den Ausführungen des Dionysius noch die ἀϊδιότης zu sein. Wie wir gesehen haben, reserviert er diesen Ausdruck (ὄντως ἀΐδια) für das, was nicht nur im Sinne der gesamten Zeit „ewig" (αἰώνια) ist. Von der ἀϊδιότης sagt Dionysius auch nicht, dass Gott sie überschritten hätte oder ihr vorausgegangen wäre, wie bei Ewigkeit und Zeit. Sollen wir daraus schließen, dass die ἀϊδιότης als eine eigentliche Charakterisierung Gottes gelten soll? Eine solche Schlussfolgerung wäre sicher vorschnell, obwohl sie aufgrund unseres Passus nicht einmal widerlegt werden kann. Wie wir gesehen haben, verwendet Dionysius (wahrscheinlich unter dem Einfluss des biblischen Usus) die Begriffe αἰών und ἀϊδιότης gerade umgekehrt wie Proklos. Vom Einen der ersten Hypothese sagt Proklos nicht einmal den αἰών, d.h. die wahre Ewigkeit, aus (die ἀϊδιότης im Sinne der gesamten Zeit schon gar nicht).[80] Auch die Logik der Gottesnamen bei Dionysius scheint

---

79   MT 3: A. M. Ritter, PTS 36 (Berlin 1991) 147,4-14.
80   *Proklos*, In Parm. VII: Cousin 1216,36: ... περὶ δὲ τοῦ ἑνὸς ὅτι οὐκ αἰὼν οὐδὲ αἰώνιον.

zu fordern, dass die Zeit, αἰών und ἀιδιότης von Gott ausgesagt werden können, obwohl er zugleich alle drei, auch die Ewigkeit im eigentlichen Sinne, überschreitet. Die ἀιδιότης wird vielleicht deswegen ausgelassen, weil Dionysius für sie (anders als bei „Ewigkeit", „Zeit", „Augenblick" oder „Tag") eine nur schwache biblische Grundlage fand.[81]

In Dionysius' Abhandlung über die Gottesnamen „Ewigkeit" und „Zeit" haben wir damit eine lehrreiche Exemplifizierung seiner theologischen Methode vor Augen, die sich zwar im ontologischen Rahmen der neuplatonischen *Parmenides*-Auslegung bewegt, um jedoch diesen Rahmen zu anderen als ontologischen Zwecken zu verwenden. Dionysius will zeigen, wie von Gott *gesprochen* werden kann, welche Aussagen über ihn getroffen werden können. Deswegen kann er sich nicht mit der ersten Hypothese des nichtseienden Einen begnügen, dem alle Aussagen abzusprechen sind, sondern muss auf die tieferen ontologischen Ebenen des neuplatonischen Universums herabsteigen, um dort das göttliche Wirken und damit auch die legitimen göttlichen Namen zu finden. Wenn Dionysius Gott als „Zeit" benennt, und zwar nicht nur im Sinne der Transzendenz, sondern auch der Immanenz dem an ihr Partizipierenden gegenüber, meint er nicht, dass auf der Ebene des Intellekts (d.h. der zweiten Hypothese des *Parmenides* in seiner neuplatonischen Deutung) neben dem nicht-partizipierten Grund der Zeit auch noch die göttlichen Seelen zu lokalisieren wären, die an der Zeit teilhaben. Damit würde er eigentlich von dem seienden Einen der zweiten Hypothese noch eine andere als die „nicht parti-zipierte" Zeit im Intellekt aussagen. Eine solche Interpretation hätte zwar im Text des Plato eine überzeugende Stütze und ihre Existenz wird von Proklos selber bezeugt,[82] dafür, dass Dionysius dieser Interpretationslinie angehört, haben wir jedoch keinen Beleg. Es scheint viel plausibler, dass sich Dionysius in seiner Wahl der göttlichen Namen einfach nicht auf die zweite Hypothese der neuplatonischen Deutung des *Parmenides* begrenzte, sondern bereit war, an der ontologischen Skala auch tiefer herabzusteigen, da er Gott als die Ursache von allem Seienden und Entstehenden verstand und sich deswegen nicht scheute, ihn mit allen diesen Namen zu nennen.[83]

---

81 Vgl. Röm 1,20 (ἥ τε ἀίδιος αὐτοῦ δύναμις) und Jud 6 (δεσμοῖς ἀιδίοις ὑπὸ ζόφον τετήρηκεν).

82 *Proklos*, In Parm. VII: Cousin 1215,34-37: ... πῶς δὲ ἔτι κατὰ τὴν δευτέραν ὑπόθεσιν ὁ χρόνος οὗτος καταφάσκεται τοῦ ὄντως ὄντος, ὡς αὐτοί φασι, καὶ τῆς νοερᾶς οὐσίας οὐ προσιεμένης τὸν τοιοῦτον χρόνον.

83 Noch einen anderen Ausweg bieten *S. Klitenic Wear* und *J. Dillon* (Dionysius the Areo-pagite, 28 f.) an, die die Gottesnamen „Ewigkeit" und „Zeit" unter den Namen „Identität" subsumieren. Dies scheint jedoch Dionysius selbst nicht zu tun.

In der Einführung zu seiner Schrift sagt Dionysius jedoch, dass er hier die „intelligiblen Gottesnamen" (τῶν νοητῶν θεωνυμιῶν) erörtern will, nicht aber die aus dem wahrnehmbaren Bereich übernommenen Titel, deren Metaphorik seiner Vorstellung nach der „symbolischen Theologie" angehört.[84] Rechnet er zu den intelligiblen Namen auch „die Zeit"? Dies könnte wohl ohne Weiteres gelten, hätte sich Dionysius auf die Aussage der „nicht partizipierten Zeit" begrenzt, die nach Proklos zur Ebene des Intellekts gehört. Dies ist jedoch offensichtlich nicht der Fall. Die Aussagen des Areopagiten über die Gottesbezeichnung „Zeit" gelten zugleich der Zeit, wie sie den Dingen in der Bewegung angehört. Will Dionysius damit auf die Ebene der dritten *Parmenides*-Hypothese herabsteigen? Dies ist sehr schwer zu entscheiden. Der Areopagite gibt nämlich keine Lösung dieses Rätsels und zeigt sogar wenig Interesse für eine solche Frage.[85] Seine Absicht war es höchstwahrscheinlich nicht, eine Ontologie zu entwickeln, die die beiden ersten Hypothesen des neuplatonischen *Parmenides* verbinden würde,[86] sondern Regeln für das Treffen theologischer Aussagen zu entwerfen, nach denen Gott, der jedem Namen entgeht, doch

---

84   DN 1,8: PTS 33, 121,1-6. Was nach Dionysius in die „symbolische Theologie" gehört, zeigt seine Ep. 9, die dem gleichen Thema gewidmet ist.

85   Die Inkonsequenz des Dionysius in den ontologischen Fragen zeigt auch *B. Brons* (Gott und die Seienden, 130-167), der seine Suche nach dem systematischen Ort der Ideen bei Dionysius mit der Feststellung abschließen muss, dass die Ideen (obwohl von Dionysius erwähnt) eigentlich keinen ontologischen Ort finden. Sie können weder im ersten Anfang lokalisiert werden, da er ganz transzendent erscheint, noch als etwas ihm gegenüber Niedrigeres gelten, da die Ebene des ersten und des zweiten Einen bei Dionysius eigentlich nicht ontologisch unterschieden werden soll. Dieses Problem hängt auch eng mit der Frage nach dem ontologischen Äquivalent der göttlichen Namen zusammen, die von den Interpreten auf eine sehr unterschiedliche Weise beantwortet wird. V. Lossky war überzeugt, dass diese Namen in Gott eine Stütze finden, und zwar in so etwas wie den palamitischen „ungeschaffenen Energien" (vgl. *V. Lossky*, Essai sur la théologie mystique de l'Église d'Orient, Paris 1944, 70; 77 f.). Die meisten abendländischen Interpreten lehnen dagegen diese Vorstellung als unbegründet ab. Die Diskussion wird z.B. durch *S. Gersh* (Ideas and Energies in Pseudo-Dionysius the Areopagite, StPatr 15, 1984, 297-300) zusammengefasst. Vgl. auch die Beiträge von V. Němec und I. Christov in diesem Band.

86   Auch *B. R. Suchla* (Wahrheit über jede Wahrheit. Zur philosophischen Absicht der Schrift De divinis nominibus des Dionysius Areopagita, ThQ 176, 1996, 205-217, bes. 216 f.) ist der Meinung, dass das Hauptanliegen der Abhandlung ein epistemologisches ist. Eine ontologische Lektüre hält dagegen z. B. *Ch. Schäfer* (Philosophy of Dionysius the Areopagite, 124 f.) für adäquat, obwohl er zugleich hervorhebt, dass die einzelnen Namen aus der Perspektive *quoad nos* ausgesagt werden (Philosophy of Dionysius the Areopagite, 163-173).

aufgrund des von ihm Verursachten legitim benannt werden kann. Die Grenze zwischen den „Gottesnamen" und der „symbolischen Theologie" folgt daher nicht genau den Ebenen der proklischen Ontologie, und scheint auch keine besonders scharfe Grenze zu sein.

Der Gottesname „Zeit", der in der biblischen Vorstellung von Gott als von einem, der die Augenblicke und Zeiten ausmisst, gründet, ermöglicht zugleich, eine andere Zeitauffassung zu entwickeln, als sie dem Platonismus eines Platon oder Plotin bekannt war. Die Zeit wird nicht mehr als eine defiziente, für die Seele charakteristische Art des Seins verstanden, sondern wird (ganz ähnlich wie bei Proklos) in ihrer Gesamtheit wie in jedem ihrer Teile durch Gott ermöglicht und sogar von ihm „durchdrungen", wie Dionysius sagt.

The Topic of Mixture as a Philosophical Key
to the Understanding of the *Divine Names*: Dionysius
and the Origenist Monk Stephen bar Sudaili

Emiliano Fiori (Amsterdam)

Thanks to the Syriac translation of Dionysius' works, a substratum emerges from the Semitic language which was implicit but not evident in the Greek[1] and which allows us to fruitfully compare the Areopagite's Syriac text to other relevant *testimonia* stemming from the Syriac milieu. The common topic with respect to which all these texts can be compared is the problem of mixture, already a major Proclusian but also Evagrian theme.

The following exposition will be articulated into three points:

(1) In a letter to two Edessene priests, the Syriac bishop Philoxenus of Mabbug (d. 523) warned about the danger represented by the heresy of a monk, Stephen bar Sudaili, who maintained the idea of a radical eschatological union of all creatures with God *by essence and nature*, and of a final dissolution of differences among the divine persons themselves. This kind of union, Philoxenus said, is nothing but confusion (*būlbōlō*, in Syriac).[2]

---

1   By maintaining this we are aware of distancing ourselves from István Perczel's well-known thesis, according to which Sergius' version reveals a subjacent original Greek text which would be different from the one the textual tradition at our disposal has handed down to us: this original text would be imbued with Origenist doctrines, which become evident in Sergius' rendering. After a long study of Sergius' version which ended up in the critical edition of Sergius' version of DN, MT and Ep within the frame of our PhD dissertation, we have reached the conclusion that Perczel's hypothesis, though pointing in the right direction, must be partially revised, since the Syriac version brings to light concepts which are already implicit in the Greek text as we know it today.

2   The letter in *A. L. Frothingham*, Stephen bar Sudaili the Syrian Mystic (c. 500 A.D.) and the Book of Hierotheus on the Hidden Treasure of Divinity (Leiden 1886) 28-48. Some important philological corrections in *T. Jansma*, Philoxenus' Letter to Abraham and

(2) A second key Syriac text is the *Book of the Holy Hierotheus* attributed by a long tradition to the same Stephen, and actually containing a doctrine which is quite similar to that condemned by Philoxenus.[3] This book is commonly dated to the middle of the 6th century (there is no conclusive evidence to date it with more precision); it is in any case surely later than the *Areopagitica*, which first appeared in public at the *Collatio cum Severianis* in Constantinople (532).[4] The new element in the *Book* with respect to the presentation of Stephen's doctrine given by Philoxenus is that the final condition of rational creatures is technically described as a *mixture* with God, which is explicitly considered superior to the simple *union*.

(3) The study of the Syriac translation of Dionysius' *Divine Names*, due to the chief physician of Reš'aynā, Sergius (d. 536), confirms the impression, already felt in reading the original Greek text of the Areopagite, that in the latter the concept of union and that of confusion in God and among the creatures are sharply opposed, as if Dionysius had been sensitive to Philoxenus' warning; and this opposition is obtained by exploiting the polarity between two different

---

Orestes Concerning Stephen bar Sudaili. Some Proposals with Regard to the Correction of the Syriac Text and the English Translation, Le Muséon 87 (1984) 79-86.

3   The Book is edited in: The Book which is Called the Book of the Holy Hierotheus, with Extracts from the Prolegomena and Commentary of Theodosios of Antioch and from the "Book of Excerpts" and Other Works of Gregory Bar-Hebraeus, edited and translated by *Fred Shipley Marsh* (London 1927). The most recent, and excellent, monograph (and in fact the only one since Frothingham's) on the Book of the Holy Hierotheus has been written by *K. Pinggéra*, All-Erlösung und All-Einheit. Studien zum ‚Buch des heiligen Hierotheus' und seiner Rezeption in der syrisch-orthodoxen Theologie, Sprachen und Kulturen des christlichen Orients 10 (Wiesbaden 2002). The Book and his possible author Stephen were already presented and studied by *A. Guillaumont*, Les « Képhalaia Gnostica » d'Évagre le Pontique et l'histoire de l'Origénisme chez les Grecs et chez les Syriens, Patristica Sorbonensia 4 (Paris 1962) 302-337. The hypothesis of the presence of Manichaean elements in the Book was proposed by *D. Bundy*, The Book of the Holy Hierotheus and Manichaeism, Augustinianum 26 (1986) 273-279, and pursued by *I. Perczel*, A Philosophical Myth in the Service of Christian Apologetics? Manichees and Origenists in the Sixth Century, in: Y. Schwartz, V. Krech (eds.), Religious Apologetics, Philosophical Argumentation (Tübingen 2004) 205-236, but convincingly contested by *K. Pinggéra*, Die Bildwelt im „Buch des heiligen Hierotheus" – ein philosophischer Mythos?, in: M. Tamcke (Hg.), Mystik – Metapher – Bild. Beiträge des VII. Makarios-Symposiums, Göttingen 2007 (Göttingen 2008) 29-41.

4   The source for the Dionysian quotation at the *collatio* is pseudo-Zachary: *Ps. Zach.*, Hist. Eccl. IX,15: E. W. Brooks, textus I, CSCO 83 (Louvain 1953²); textus II, CSCO 84 (Louvain 1953²); versio I, CSCO 87 (Louvain 1965²); versio II, CSCO 88 (Louvain 1965²). For the *collatio*, see CSCO 84, 115-123; CSCO 88, 79-84.

concepts of mixture, the good one (κρᾶσις), identified with the cosmological (and not eschatological) union of the creatures, and the bad one (indicated only by negative adjectives: ἀμιγής, ἀσύγχυτος), identified with confusion.[5] Now, the Syriac term identifying the bad mixture is exactly the same as that denoting the supreme mixture in the *Book of Hierotheus*.

What we will try to argue in the present article is that Dionysius actually took up Philoxenus' warning, or at least shared his concerns, and elaborated the polarity of mixture as an instrument to neutralize Stephen's radical interpretation of Evagrius' doctrine of the eschatological mixture, by opposing to it the Proclusian concept of good mixture as union *without* confused mixture, a concept which worked in Proclus, and does work in Dionysius, as the pivotal element not of an eschatological, but of a metaphysical equilibrium which will not be deleted in the *eschaton*.

To make our exposition clearer, we will inverse the order of our points (1) and (3), making them turn around point (2).

I. The language of confusion in Sergius' Syriac translation of Dionysius

In his recent monograph on the structure of the *Divine Names*,[6] Christian Schäfer has proposed a structure of DN which slightly but decisively changes our perspective of the treatise: in Schäfer's view, there are two kinds of μονή in the cosmic movement, i.e., there is not only the first μονή, followed by πρόοδος and ἐπιστροφή with the final return to the μονή; we can also observe the existence of a second μονή, a lower one, which consists of the equilibrium of the world in a state of order, representing the necessary base to begin the process of ἐπιστροφή.[7] According to Schäfer's interpretation, the section of the treatise dealing with this equilibrium includes chapters 8-11, and in particular the chapters on the names Power, Redemption and Salvation (8) and on Peace (11).

---

5   Throughout this paper, the Syriac translation of Dionysian writings is quoted from the only extant manuscript which preserves it, Sinai St. Catherine syr. 52 (=Sinaiticus syriacus 52).

6   C. *Schäfer*, Philosophy of Dionysius the Areopagite. An Introduction to the Structure and the Content of the Treatise On the Divine Names, Philosophia Antiqua 99 (Leiden – Boston 2006).

7   See in particular pp. 88-111 and 179 for a scheme of the structure.

If we accept the fine analysis of the structure of DN proposed by Christian Schäfer, and if we pay attention to the distribution of the language of mixture within this structure, we can remark that our current topic, the language of mixture, most frequently occurs just in the section dealing with the cosmic equilibrium.

To start with, we must take into account two central elements:

1. Confusion (σύγχυσις in Greek, but usually occurring in the negative form of the adjective/adverb ἀσύγχυτος/ως) is rendered in Sergius' Syriac translation by the term *būlbōlō* (*dlō būlbōlō*, "without confusion," when ἀσύγχυτος occurs): it is very often coupled with another term, *ḥbīkūṯō*, describing a bad kind of mixture, in which the identity of components gets lost, and used as an equivalent to the Greek root of *mixis*, always in the negative adjective ἀμιγής. This indicates that Sergius perceives in Dionysius a consistent equation between ἀμιγής/*dlō ḥbīkūṯō* and ἀσύγχυτος/*dlō būlbōlō*.

Let us study three representative test cases, excerpted from chapters eight and eleven. In the first passage we read a very important development of this equation:

DN 8,9: PTS 33, 207, 1-5: Τὴν γὰρ ἀνισότητα εἴ τις ἐκλάβοι τὰς ἐν τῷ ὅλῳ τῶν ὅλων πρὸς ὅλα διαφοράς, καὶ ταύτης ἡ δικαιοσύνη φρουρητική, μὴ συγχωροῦσα συμμιγῆ τὰ ὅλα ἐν ὅλοις γενόμενα διαταραχθῆναι, φυλάττουσα δὲ τὰ ὄντα πάντα κατ᾽ εἶδος ἕκαστον, ἐν ᾧ ἕκαστον εἶναι πέφυκεν.

Syr. 39vb:

If we are to suppose that this inequality consists in the distinction of all beings from each other, Justice is the keeper of this [distinction], too, because it does not allow that all is mixed (root *ḥ-b-k*) with all, nor that [all] is perturbed and confused (root *b-l-b-l*), but preserves everything in the species of its nature, according to which it has been established since the beginning.

DN 11,2: PTS 33, 218,18-219, 2: τῆς αὐτοειρήνης καὶ τῆς ὅλης καὶ τῆς καθ᾽ ἕκαστόν ἐστιν ὑποστάτις καὶ ὅτι πάντα πρὸς ἄλληλα συγκεράννυσι κατὰ τὴν ἀσύγχυτον αὐτῶν ἕνωσιν, καθ᾽ ἣν ἀδιαιρέτως ἡνωμένα καὶ ἀδιαστάτως ὅμως ἀκραιφνῆ κατὰ τὸ οἰκεῖον ἕκαστα εἶδος ἕστηκεν οὐκ ἐπιθολούμενα διὰ τῆς πρὸς τὰ ἀντικείμενα κράσεως οὐδὲ ἀπαμβλύνοντά τι τῆς ἑνωτικῆς ἀκριβείας καὶ καθαρότητος.

Syr. 44rb-va:

He is the institutor of the Essence of Peace – that is, he who is said "Peace itself" – and of the whole Peace and, moreover, of that [Peace] which is split up among all, and tempers (root *m-z-g*) all in all by a union which is not confused, in which all beings are united without division and interruption from each other, although they subsist, everyone by itself, according to its exact species and without being mixed (root *ḥ-b-k*) – thanks to the temperament (root *m-z-g*) concerning the things which are opposite to it; and moreover without being weakened by its possible separation from the exactness of its union and of its purity.

If it is true that beings are not mixed to the point of confusion ("with an unconfused union"), they are nonetheless mixed, or to put it better, tempered or commingled[8] ("it tempers all in all").

But in the second passage (from chapter 11) we see that the absence of confusion is due to the fact that this temperament does not coincide with a *bad* mixture:

DN 11,2: PTS 219,3-5: Μίαν οὖν τινα καὶ ἁπλῆν τῆς εἰρηνικῆς ἐνώσεως θεωρήσωμεν φύσιν ἐνοῦσαν ἄπαντα ἑαυτῇ καὶ ἑαυτοῖς καὶ ἀλλήλοις καὶ διασώζουσαν πάντα ἐν ἀσυγχύτῳ πάντων συνοχῇ καὶ ἀμιγῆ καὶ συγκεκραμένα.

Syr. 44va:
We will then conceive one simple nature of the Peace, unifier of all, which unifies all beings with Itself and with themselves and with each other, and preserves them all by means of the inclusion of all, which is not confused (root *b-l-b-l*) insofar as they are not mixed (root *ḥ-b-k*) nor confusedly (root *b-l-b-l*) tempered (root *m-z-g*).

Order is then actually a form of mixture, but of a positive kind which is identified in Syriac by the term *mūzzōḡō*, and in Greek by the family of κρᾶσις; confusion is a mixture too, but of that negative kind which is identified by the term *ḥbīkūṯō*.

2. In some passages, what we have called temperament-commingling is identified with the state of union (ἕνωσις) of beings with one another, accurately defined as ἀσύγχυτος-*dlō būlbōlō*, unconfused.

First we must avoid a possible misunderstanding: the formula ἕνωσις ἀσύγχυτος, in a text of the beginning of the 6th century, could bring to mind Christological controversies. But what is peculiar in Dionysius' treatment of the concept of unconfused union is that this concept is radically alien to any immediate Christological implication, and this is but a particular case of a general and very evident tendency of DN, which Eugenio Corsini worded as follows:

[T]he names developed in the eighth chapter, as well as other names…, are particularly remarkable for their narrow connection with the New Testament and

---

8   We will use indifferently the terms "temperament," "blending" and "commingling" to mean the "good" kind of mixture.

Patristic Christological speculation. It is to be added though that Dionysius almost absolutely leaves out of consideration their soteriological or moral value, and elaborates them in an exclusively metaphysical-ontological or cosmic direction, so as one could find them in the Neoplatonist, and especially Proclusian, system. ... in Dionysius Justice becomes the basis of a universal hierarchical order.[9]

Our research, then, has led us to observe a consistent terminology of mixture, which we would not hesitate to call a technical one, in Greek as well as in Syriac. This terminology defines the condition of the cosmos as an orderly system, according to the following correspondences:

(a) God, insofar as He provides for the creatures, makes the union of beings possible (*ḥḏōyūṯō*), in the form of a good mixture which could be called commingling or temperament (*mūzzōḡō*): this commingling preserves the definite identities of its components;

(b) It means that this is not a bad mixture (*ḥḇīḵūṯō*) of beings, one that would imply their confusion (*būlbōlō, blīlūṯō*).

II. The book of the Holy Hierotheus

Thanks to Karl Pinggéra's monograph, we do not move in a completely unexplored field when we aim at a satisfying comprehension of what is at issue when Dionysius draws such a rigid image of the universe. Our main reference is an author which has surely something to do with the Areopagite, to begin with his pseudepigraphical name. We speak of course of the so-called "Hierotheus," a name under which one or many authors of the eponymous Syriac *Book* hide; this *Book* was written in Syriac by the middle of the 6th century within a monastic context which beyond any doubt had some sort of contact with the pantheistic doctrine of the monk Stephen bar Sudaili, native of Edessa but resident in Palestine when Philoxenus wrote his letter against him (for which see below, paragraph 3); a long Western Syrian tradition has attributed the text to him since the 8th century.[10] Pinggéra proposed the hypothesis that the *Book* actually consists of at least two different layers, most probably due to different hands, which he called *Grundschrift* (G) and *Redaktionsschicht* (R). Whereas

---

9   E. *Corsini*, Il trattato De divinis nominibus e i commentari neoplatonici al Parmenide (Torino 1962) 54.

10   See A. L. *Frothingham*, Stephen, 63-68; K. *Pinggéra*, All-Erlösung, 23-26.

G deals with the heavenly ascent of the intellect, R touches on more speculative problems, in particular the presentation of a hierarchical universe (but consisting of transient hierarchies whose destiny is to pass away) and the exposition of a peculiar eschatology characterized by the final indistinct mixture of God with His creatures and the extreme dissolution of the Trinitarian persons. It is to this section that scholarship has been making reference since the 19th century[11] in order to compare Hierotheus and Dionysius, as the structure of the angelic hierarchies is certainly influenced by the Dionysian scheme and, most of all, R's terminology concerning union and mixture is the same as that of Sergius' version of the *Areopagitica*.

As to the last mentioned point, Pinggéra was the first to notice it. The concept of mixture as presented in the *Book* is compared by him to that of ἕνωσις ἀσύγχυτος as it features in some relevant passages of DN. This comparison leads him to the remark that, according to a habit beginning with Stoicism, the concepts of κρᾶσις and σύγχυσις are sharply opposed by Dionysius:

> In DN 8,5 it becomes particularly evident in what sense Dionysius uses κρᾶσις and σύγχυσις: the divine power maintains the elements of the universe in an „unconfused and not mixed state of being," while it „sustains the reciprocal harmony of the elements and preserves their commingling unconfused and undivided." The conceptual figure κρᾶσιν ἀ-σύγχυτον shows that by κρᾶσις and σύγχυσις pseudo-Dionysius means two facts to be sharply distinguished from one another.[12]

But what is decisive is the fact that Dionysius conceives of the κρᾶσις of the elements, insofar as it is ἀσύγχυτος, as a union, not introducing anything new as regards late Neoplatonism and establishing an equivalence between ἕνωσις and κρᾶσις. Ἕνωσις or κρᾶσις ἀσύγχυτος then does not mean anything else than "the stability of cosmic hierarchy, on all its levels (natural elements, angelic world, Church)."[13] The end of the fourth and the fifth book of Hierotheus

---

11   That is, since Frothingham's monograph.

12   *K. Pinggéra, All-Erlösung*, 111: „In welchem Sinne der Areopagite κρᾶσις und σύγχυσις verwendet, lässt sich in besonderer Deutlichkeit an DN 8,5 ablesen: Die göttliche Kraft erhalte die Einzelbestandteile des Universums in einem ‚unvermischten und unvermengten Sein' (…) indem sie ‚die untereinander Bestehende Harmonie der Elemente beschützt und die unvermischte und ungeteilte Einung (…) bewahrt'. Die Begriffsbildung κρᾶσιν ἀ-σύγχυτον zeigt, dass Pseudo-Dionysius unter κρᾶσις und σύγχυσις Ausdrücke für zwei scharf voneinander zu trennende Sachverhalte versteht."

13   *K. Pinggéra, All-Erlösung*, 112: „der Begriff der ἕνωσις ἀσύγχυτος bei pseudo-Dionysius dazu dient, die Stabilität der kosmischen Hierarchie auf allen ihren Ebenen (Naturelemente, Engelwelt, Kirche) zu garantieren".

maintain the contraposition between union and confused mixture, but in the form
of the passage of the concept of "confused mixture" to a higher and positive
level. Pinggéra rightly concludes:

> the fact that the author... introduces the distinction between "union" and
> "mixture" becomes comprehensible on the basis of its comparison with the *Cor-*
> *pus Dionysiacum*. ... Here "union" is always understood as ἕνωσις ἀσύγχυτος
> which corresponds to the idea of the κρᾶσις ἀσύγχυτος of beings... Hence
> σύγχυσις is not simply opposed to ἕνωσις ἀσύγχυτος, but it is understood as a
> higher degree of the mystical ascent.[14]

What Pinggéra could not yet do was to compare Hierotheus with Dionysius'
Syriac version, where we can see now that the term which is always related to
σύγχυσις, ἀσύγχυτος as their equivalent is really the same as that used by
Hierotheus to designate his supreme mixture: ḥbīḵūṯō, dlō ḥbīḵūṯō. Lacking this
information, Pinggéra, in our opinion, makes a slight mistake when he tries to
explain the relation between Dionysius, the *Book* and our source regarding
Stephen bar Sudaili's heresy, Philoxenus of Mabbug. Anticipating our conclu-
sions, we note that according to Pinggéra the *Book* intends to defend and
reassess Stephen bar Sudaili's thought as it emerges from Philoxenus' letter,
while at the same time reacting to the new element represented by the Dionysian
Corpus, which appeared in the meantime – as if these were two distinct
concerns. Pinggéra reaches this conclusion by relying on what he observes about
the relation between union and mixture in Hierotheus, and by listing passages
that allegedly document Hierotheus' wish to avoid the terminology exploited by
Philoxenus to condemn Stephen, in order to express the latter's thought in new
and uncompromised words.[15] This conclusion immediately leads to a question:
why should Hierotheus have turned to Dionysius if his main concern was to
reply to Philoxenus? Pinggéra's monograph does not offer an answer to this
question; our experimental answer will be that Hierotheus does not defend
Stephen's ideas directly against Philoxenus' attack, but rather against that of the

---

14   *K. Pinggéra*, All-Erlösung, 115: „Dass der Redaktor... die... Differenzierung der Be-
      griffe ‚Vereinigung‘ und ‚Vermischung‘ einführt, lässt sich aus seiner implizit geführten
      Auseinandersetzung mit dem Corpus Dionysiacum begreiflich machen. ... Die σύγχυσις
      wird der ἕνωσις ἀσύγχυτος auf diesem Wege nicht einfach entgegengesetzt, sondern als
      höhere Stufe des mystischen Aufstiegs gedeutet.“
15   *K. Pinggéra*, All-Erlösung, 132-142. Pinggéra's conclusion is that the editor of the *Book*
      „bemüht sich ... darum, dass seine Darlegungen nicht auf Anhieb als die Gedanken
      Stephan bar Sudailis erkannt werden, die Philoxenus ja verketzert hatte“ (All-Erlösung,
      142).

Areopagite, because the latter takes up Philoxenus' alarm. The Areopagite, and not Philoxenus, would then be the immediate opponent of Hierotheus, and it is only via Dionysius that the reply would be addressed to Philoxenus as well. If this is a correct explanation, it would be much clearer why Hierotheus felt the necessity of reacting to Dionysius: there would be a causal link between the Philoxenian letter, the redaction of the Areopagitic Corpus or at least of DN, and the redaction of what we called the "speculative" section of the *Book of Hierotheus*. If one wanted to reply to Philoxenus, one was obliged to pass through Dionysius.

It will be useful, for the moment, to withhold judgement about the question of the chronological relation between the Dionysian Corpus and the *Book*; this *epochē* will help us to understand better their *conceptual* relation.

The first reference in the study of eschatological mixture in Syriac literature must be Evagrius' so-called *Letter to Melania*, in which we find the famous simile of rivers which, having flowed into the sea, blend in it: the intellects will have the same destiny in God at the end of time, and their blending is also described as union:

> when the intellects come back to Him, like watercourses to the sea, He will change all of them, perfectly, into His own nature, His own colour and His own flavour, and from then on they will no (longer be) be many, but one, in His singleness without end and without division, by virtue of their union and commingling (root *m-z-g*) with Him.

> as the sea is one by its nature, by its colour and by its flavour, before the rivers blend (*m-z-g*) with it (and) even after they blend (*m-z-g*) with it, the divine nature is likewise one in the three hypostases of the Father, the Son and the Spirit even after the intellects blend (*m-z-g*) with him, as It (was) before they blended (*m-z-g*) with it.[16]

The Syriac translator of the letter (which actually survives only in its Syriac version) uses the two terms *ḥdōyūṯō* and *mūzzōḡō*, and here we can already point out an interesting analogy with the vocabulary of Sergius' Dionysian version. Now, Pinggéra observes that different Evagrian doctrines are present in the *Book of Hierotheus* (e.g. the "first movement" as the cause of the intellects' fall), and that the Hierothean idea of an *eschaton* characterized by the mixture of the

---

16   We translate the Syriac text published in: *W. Frankenberg*, Euagrius Ponticus, Abhandlungen der königlichen Gesellschaft der Wissenschaften zu Göttingen. Phil.-Hist. Klasse, Neue Folge XIII/2 (Berlin 1912) 612-619. Our translation is based on Paolo Bettiolo's excellent Italian version in: Evagrio Pontico. Lo scrigno della sapienza, intr., trad. dal siriaco e note a cura di *P. Bettiolo*, Testi dei Padri della Chiesa 30 (Bose 1997) 22-23.

intellects could likely be of Evagrian descent: Evagrius underlines, as
Hierotheus does, that the final mixture will nullify the "differences." Philoxenus
himself, in his letter against Stephen bar Sudaili, speaks about a dangerous
Evagrian influence on the Edessene monk's teachings, even if not precisely on
this topic. But it is also true that only in one single passage of the first book
Hierotheus refers to the mixture by means of the root *m-z-g*.[17] In all other cases
the idea of mixture is rendered by the root *ḥ-b-k*. The passage in which the two
roots occur together is a particularly representative one:

> With glorious praises therefore let us praise it – these (praises) which exist in (a
> state) of Unification and before Unification; but above Unification, know, O my
> friend, that distinction passes away, and where there is no distinction who will
> glorify whom? ... the act of glorifying is (proper to) that which is other and
> distinct; but if (that which was other) has been divinely commingled (*ḥ-b-k*)
> and holily blended (*m-z-g*), then otherness has been taken away and the act of
> glorifying ceases.[18]

In Hierotheus, unlike Evagrius, but especially unlike Dionysius, *ḥbīkūṯō* is the
positive mixture *par excellence*, as it is the final degree of evolution in the
relation between God and the creatures, with the dissolution of any distinction
between the Creator and his creature and within the Creator himself, because
of the passing away of the distinction between the Trinitarian persons. What
Pinggéra has very keenly pointed out without yet having the feedback of
Dionysius' Syriac version, is that in Hierotheus this kind of mixture brings the
intellect higher, and then closer to God, than simple union–*ḥḏōyūṯō*, as it is
stated, more than once, in Hierotheus IV,19-21.[19]

> Let us, then, for our part, my son, put away unification and speak of commingling,
> of which divine intellects are accounted worthy at that time when they become
> above unification; and let us say what commingling is, and what unification is. ...
> Now, for my own part, I know that unification is very very close and near to that
> which is called commingling (root *ḥ-b-k*), (but only) in this sense that something
> distinct does not appear so distinct in it, for those who have been united cannot
> remove all distinction: there remains something distinct; but as to those who have
> been commingled, nothing distinct and different is known nor seen in them... now
> those who have been united may possibly be separated, but those who have been
> commingled are no more torn asunder... therefore the designation of commin-
> gling is proper for intellects that have become above unification.[20]

---

17   Marsh 3*/4, with slight variations.
18   Lib. Hier. I,1: Marsh 3*/4.
19   *K. Pinggéra*, All-Erlösung, 107-117.
20   Lib. Hier. IV,21, Marsh 112*-113*/124, with variations.

We can see in fact that in the Syriac versions of Evagrius and Dionysius the good mixture (eschatological or not), besides having a different name (*mūzzōgō* versus the Hierothean *ḥbīkuṯō*), *is not* higher than union. In both of them, the two concepts coincide, even if Dionysius would never state, as Evagrius does, that differences pass away. What Dionysius does, and Sergius' version helps us to perceive, is that he affirms the opposition of *mūzzōgō-ḥḏōyūṯō* (good mixture-union) over against *ḥbīkūṯō* – identifying the latter with confusion within God as well as in the mutual relation of the creatures; by doing so, he instils the suspicion in the reader's mind that his aim here is to neutralize the, so to say, "confusionist" doctrine as it is presented by the *Book of Hierotheus*.

Evidently, a serious problem arises at this point: shall we think that the *Book of Hierotheus* (or at least R, which contains the references to mixture and hierarchies) is prior to the Dionysian Corpus, given that Dionysius seems to have in mind a technical terminology of mixture? It is an impossible hypothesis, because Dionysius' influence on "Hierotheus" and, therefore, his chronological anteriority, are inescapable facts. Nevertheless, this *impasse* does not seem impassable, if one turns back to Philoxenus' letter against Stephen bar Sudaili.

III. Philoxenus' Letter against Stephen bar Sudaili

It would seem that Philoxenus' epistle, without showing any knowledge of the Dionysian Corpus, tackles the same problems as DN: pantheism and the dissolution of distinction within God as well as between God and the creatures; these are indeed the dangers which the bishop of Mabbug finds in Stephen bar Sudaili's writings. Moreover, let us remark that these two errors are conceived by Philoxenus as complementary:

> there will no longer be He who creates and those who receive his creative action [first error]... and there will no longer be Father, Son and Spirit [second error]; for, if he raves that the Creator and all his creatures who are distinct from each other will become one nature and person, how must not consubstantial persons of necessity also become one person?[21]

---

21   A. L. Frothingham, Stephen, 34-35.

This is openly defined by Philoxenus as a dangerous "confusion" (*būlbōlō*): "Thus there would be a confusion, not only of the creation with the divine substance, but also of the Persons one with another."[22]

On the one hand, it is true that at first glance the problem is the same as in DN, and the link is reinforced by the fact that Stephen bar Sudaili was commonly believed to be the author of the *Book of Hierotheus*, i.e., the text which seems to be at issue when one considers the topic "pantheism vs. order" in Dionysius (remembering that we have withheld judgement about their chronological relation). On the other hand, it is significant that in Philoxenus' epistle there is no reference to a bad mixture-*ḥbīkūtō*, or to the concept of mixture in general. In Philoxenus' account, Stephen's doctrine is worded in terms of absolute eschatological unity and consubstantiality between God and His creatures, and not of mixture: referring to the concept of union, the expression *ḥad kyōnō* (one nature [of God and the creatures]) occurs more than five times, sometimes along with *ḥdō 'īṯūṯō* (one essence) or *ḥdō alōhūṯō* (one divinity); the same principle is then rendered in other words by the formulae *bar kyōnō*, *bnay kyōne* and *baṯ kyōnō* – of the same essence/nature (masculine singular, plural, feminine singular, respectively).[23] The idea expressed by these formulae is sharply condemned as *būlbōlō*, confusion. This provides us the pivotal element on the basis of which we dare to conceive our hypothesis about the chronological relation between Philoxenus' letter, Dionysius and the *Book of Hierotheus*.

Philoxenus' alarm did not remain without consequences – at least if it is true that one of the main aims of Dionysius' Neoplatonist conception of DN is to create an apparatus which could neutralize a pantheist theology. As already remarked, had we read the two texts without awareness of their chronological relation, we would have the impression that Dionysius is drawing a contrast against Hierotheus' doctrine by conceiving a kind of union of creatures (with each other and with God) which is identified with a good mixture, namely a tempered mixture in which the components do not lose their identity. To such a reader, Dionysius would seem to oppose this good mixture to a bad one which in its turn is identified with confusion. Now, we have to leave aside our fictional hypothesis, and ask what Dionysius' contraposition between good and bad mixture means when compared with the contents of Philoxenus' letter. Our conviction is that Dionysius' strategy depends on Philoxenus' heresiological

---

22   A. L. *Frothingham*, Stephen, 34-35.
23   A. L. *Frothingham*, Stephen, 30-32, 48.

alarm, and we dare to suppose that Dionysius has taken up Philoxenus' solicitation. The most important hint in this direction is a relevant doctrinal detail: Philoxenus' condemnation aimed precisely at the perception that union and unity as Stephen conceived of them were nothing else than confusion; now Dionysius on the contrary clearly intended to distinguish the two concepts of union and confusion. The union of the creatures with God and between the creatures in the cosmic order is regarded as something positive, exactly because it is unconfused.

The decisive question is then: how could Dionysius elaborate this distinction? And according to our hypothesis, the answer is the following: by introducing the concept of mixture, and by elaborating it in such a way that it could neutralize the heresiological polarity union-confusion. So it is Dionysius, and not Hierotheus, who introduced mixture as a discriminating element into the debate. The Areopagite understood indeed, like perhaps Philoxenus[24] and many modern interpreters from Hausherr and Guillaumont to Pinggéra, what lies behind the eschatological substantial union of Stephen's doctrine: it is a radicalization of the eschatological union of all intellects as Evagrius presented it in his *Kephalaia Gnostika* and especially in the *Letter to Melania* mentioned above: in this text Evagrius speaks of a union "without difference," but, as Hausherr reminds us, « Évagre ajoutait des correctifs dans le but de sauvegarder la transcendance divine, malgré les phrases bien compromettantes que l'on vient de lire. » And indeed, in the Syriac version of Evagrius' letter mixture is defined as *mūzzōgō*, a term corresponding to the Greek κρᾶσις or σύγκρασις, which already denotes a positive union in the earlier Syriac literature. This is one of the most important « correctifs » mentioned by Hausherr, because it preserves the divine transcendence. Dionysius takes up this relevant particular, as if he intended to correct an error made by Stephen in interpreting Evagrius' eschatology: that is, Dionysius seems to be saying that the Evagrian mixture, clearly underlying Stephen bar Sudaili's pantheist consubstantiality, cannot lead to the consequences which Stephen drew from it; according to Dionysius, the union which features in his writings and which Philoxenus condemns is a bad mixture, *ḥbīkūṭō* – a term with a negative connotation. Dionysius makes this bad mixture

---

24   It is not sure whether Philoxenus had actually perceived the Evagrian background of Stephen's pantheism: according to the hypothesis proposed by *J. Watt*, Philoxenus and the Old Syriac Version of Evagrius' *Centuries*, OrChr 64 (1980) 65-81, he probably did not know Evagrius' original eschatology, having access only to an altered Syriac version of the Evagrian *Kephalaia Gnostika*, the so-called S₁ (which, according to Watt, he had not personally translated, as Guillaumont suggested in his *Les Képhalaia*, 207-213).

coincide with the confusion Philoxenus hinted at. The new polarity *mūzzōgō-
ḥbīkūṯō* is thence intruded into the polemical Philoxenian couple *ḥḏōyūṯō-būlbō-
lō*, breaking it and reassessing the concept of union in a positive sense by means
of its identification with the concept of good mixture, the *mūzzōgō*. By proposing
this, we do not mean that Dionysius wanted to defend an "orthodox" interpretation of Evagrius' eschatology; quite the opposite, the Areopagite created a
system which neutralizes not only Stephen's extremism, but also the whole
dynamic conception of the cosmos which is proper to Evagrius' thought.
Nonetheless, our author exploits what he believes to be Stephen's error in
interpreting Evagrius, in order to take from Evagrius himself the proof of his
enemy's error; in other words, he fought Stephen with Stephen's own weapons.

Now we can briefly return to the chronological and causal relation between
Dionysius and "Hierotheus," anticipated above: we already mentioned some
reasons why the *Book* is obviously posterior to the Dionysian Corpus. Now, with
the new data we have collected, this posteriority seems to be definitely
confirmed, because we have demonstrated what was Hierotheus' aim, or at least
the aim of his *Redaktionsschicht*: his references to the eschatological mixture as
ḥbīkūṯō, understood in the positive sense and looked at as being beyond union
ḥḏōyūṯō, amount to a confirmation, on the part of Stephen or one of his disciples,[25] of his own interpretation of the *eschaton*, over against the Dionysian
correction: if in the latter ἕνωσις *ḥḏōyūṯō* is to be separated from *ḥbīkūṯō*,
in Hierotheus this separation is accepted, but in the opposite sense, i. e.,
being upgraded as diversification of degrees within one and the same mystical-
eschatological progression.

Incidentally, it also become apparent what the self-attribution of the name
"Hierotheus" could mean: as in some cases of pseudepigraphy of the Apostolic
or sub-Apostolic age, when debates arose about the correct interpretation of a
master's doctrine, it happened sometimes that one of the currents produced writings under the master's name, in order to support their views about the questions
at issue by his authority. In the case we are studying now, the appropriation
of the name has an additional function of defence: a "faction" (Stephen bar
Sudaili's school) accused of heresy by another one (Dionysius) who appeals to
the teaching of a master (Hierotheus), now claims to be the authentic repository
of the master's true teaching. Stephen did not use Hierotheus' name in order to

---

25   We know from Philoxenus that Stephen had made proselytes: see the text in *A. L. Fro-
      thingham*, Stephen, 28-29: "I have learned that Stephen the scribe, who departed from
      among us some time since, and now resides in the countryside of Jerusalem, sent to you,
      some time ago, *followers of his* with letters and books composed by him"; and 44-45:
      "I remember that once I wrote to him a letter *by means of one of his disciples*."

cover his heresy under the mantle of an authority, as this name did not grant it yet in the middle of the 6th century; he did so in order to define himself as the true interpreter of a cosmic-eschatological doctrine which at his time underwent two opposite readings: he wore the identity which his adversary, partisan of the opposite interpretation, had invented for his own master.

IV. Short notes on the Neoplatonist background

This, of course, is just the *pars destruens* in Dionysius' attempt to introduce the topic of mixture into this debate; as for the *pars construens*, documented in some crucial passages of DN, in which this topic is elaborated in the systematic form of a cosmic inalterable equilibrium, it stems, beyond any reasonable doubt, from Proclus. Out of the many examples offered by the Neoplatonist philosopher, we have chosen one of the most illuminating passages.

Perhaps the most revealing passage concerning the Neoplatonist conception of mixture is found in Proclus' commentary on Plato's *Timaeus*, where the diadochus accuses Porphyry of not having distinguished between physical mixture and metaphysical mixture; to this confusion Proclus opposes his master Syrianus' explanation. The model of the physical world cannot be applied to the metaphysical one, because in the former mixture occurs by the "confusion of species," whereas the particular equilibrium of the metaphysical world is granted by the fact that, when immaterial beings blend with each other, they preserve their identities, although they unite by virtue of the passage of one into another.

> Our father Syrianus deemed it convenient to contemplate that kind of mixture of
> genres which is adequate to immaterial and incorporeal beings. It does not occur
> by the confusion of species, nor by the co-destruction of powers, but it results
> from the union and reciprocal penetration of one thing by another, while they
> preserve themselves intact. ... matter [on the contrary] is not capable to preserve
> in itself the characteristics of things unconfused and unmixed. It is proper to im-
> material mixture that things remain united and distinct, blended and not mixed
> [συγκεκραμένα καὶ ἀμιγῆ: this is precisely what Dionysius inherited from
> Proclus].[26]

---

26   *Proclus*, In Tim.: E. Diehl, II (Leipzig 1904) 253,31-254,10: ὁ <δὲ ἡμέτερος πατὴρ>
      ἠξίου πρέπουσαν τοῖς ἀύλοις καὶ ἀσωμάτοις τὴν μῖξιν τῶν γενῶν θεωρεῖν. ἡ δέ
      ἐστιν οὐ κατὰ σύγχυσιν τῶν εἰδῶν οὐδὲ κατὰ σύμφθαρσιν τῶν δυνάμεων, ἀλλ᾿

As to Dionysius, it is also relevant that Proclus uses the example of the lamps: "many lamps that produce a single light remain without confusion"; this example, exploited by Dionysius in his explanation of the relation between the Trinitarian persons, is to be found already in a preserved passage of Syrianus' commentary on *Metaphysics*, where the union between the lights of the lamps is described as a reciprocal penetration opposed to confusion. As Stephen Gersh writes, the main problem concerning the immaterial world that these philosophers, and Proclus in particular, intended to tackle, was the following:

> do the Kinds participate in one another or not? Can Similarity and Dissimilarity participate not only in each another, but also in other Kinds such as Rest and Motion? Do the Kinds participate only in one another or also in the 'Forms' (εἴδη)? The remainder of Proclus' argument tackles these questions by distinguishing different varieties of mixture.[27]

It is within the frame of this concern that the reciprocal penetration between immaterial beings is defined as κρᾶσις or σύγχυσις, and opposed to the σύγχυσις which occurs on the physical level. It is sure that this Proclusian distinction was what Dionysius had in mind to distinguish the Evagrian union--commingling as Stephen bar Sudaili interpreted it, from that confusion which Philoxenus accused it to be.

A deeper consideration of the meaning of the way late Neoplatonists treated the topic of mixture is therefore necessary. Werner Beierwaltes' famous study on Proclus will help us to sketch a possible answer, which will prove very important for Dionysius, too.[28] In the first chapter of his monograph, the German scholar studies the ἕνωσις ἀσύγχυτος as one of the key-themes of Proclus' philosophical system: as the latter is governed by the triad, the first problem is to find out how a triadic organisation of reality (in which the triadic scheme is not "a simple scheme of exterior classification of being... but the constitutive element of every existent reality"[29]) can subsist "midway between

---

ἐκείνων σῳζομένων καθ᾽ ἕνωσίν τε καὶ τὴν δι᾽ ἀλλήλων χώρησιν· αἱ γὰρ φθοραὶ καὶ αἱ τούτων τῶν δυνάμεων ἐλαττώσεις ἐν τοῖς ἐνύλοις εἰσίν, οὐ δυναμένης τῆς ὕλης τὰς διαφόρους ἰδιότητας ἀσυγχύτους ἐν ἑαυτῇ καὶ ἀκραιφνεῖς διαφυλάττειν· ἴδιον γὰρ τῆς μὲν ἀύλου μίξεως τὸ ταὐτὰ καὶ ἡνωμένα καὶ διῃρημένα καὶ συγκεκραμένα καὶ ἀμιγῆ διαμένειν.

27   S. *Gersh*, From Iamblichus to Eriugena. An Investigation of the Prehistory and Evolution of the Pseudo-Dionysian Tradition (Leiden 1978) 200-201.

28   W. *Beierwaltes*, Proklos: Grundzüge seiner Metaphysik (Frankfurt a. M. 1979²).

29   W. *Beierwaltes*, Proklos, 24: „die ‚triadische Gestalt' ist nicht ein dem Sein oder dem Denken äusserliches Klassifikations-‚Schema'... sondern konstitutives Element der Denkbewegung und jedwedes Seienden."

complete annihilation," that is, the confusion "of the elements in their unification (ἕνωσις) and their unrelated distinction."[30] Beierwaltes' answer is that
thanks to "participation" (κοινωνία) unity is shown "not as an immediate one,
but rather as a relational and mediated one."[31] The moment which operates
mediation within this unity and at the same time preserves differentiation is
methexis (μέθεξις), so that the components of every triad "interpenetrate
without confusion and distinguish from each other without separating from each
other."[32]

This is very likely the key to Dionysius' attitude towards Proclusian Neoplatonism: an attitude which led him to apply the Proclusian ontological scheme,
on the one hand, and to rethink it in depth, on the other, or to overlook many
details of it: the Areopagite was interested in the metaphysical basis of the
system, because it was, so to say, the framework of his own thought, but he was
not interested in the system itself. Therefore, he did not intend to "neoplatonize"
Christian thought (which is one of the most common *vulgatae opiniones* on
Dionysius); Dionysius, more simply but more radically, must have been someone who had always thought Christian theology in a Neoplatonist way, thus
becoming the ideal adversary to bring into play when a problem like that of
Stephen bar Sudaili's pantheistic thought arose: in the metaphysical basis of
Proclus' thought he found an ontological principle which would immunize the
"orthodox" Christian doctrine from the dangers of pantheism and confusion,
because this was a basic concern of Proclus' thought as well. The so-called
"neoplatonisation" of Christian theology in Dionysius was not an extrinsic
operation, because it touched the very heart of Neoplatonism, so that it could be
carried out only by a thinker who, like Dionysius, already thought within the
context of that doctrine: only by thinking within it, it would have been possible
to organically sense its bearing element. As Dionysius thinks inside Neoplatonism, he brings into his writings the metaphysical basis represented by
the triad, *together with* the language of Neoplatonism in general. This is why
Dionysius lacks, as has often been observed, many of the subtlest developments
of Proclus' systematic thought, so that he has been accused of being a rough
compiler of the latter's philosophy. On the contrary, the Areopagite simply had

---

30 W. *Beierwaltes*, Proklos, 33: „die Mitte zwischen einer absoluten Aufhebung der Ele-
    mente in der ἕνωσις und einer relationslosen Unterschiedenheit".

31 W. *Beierwaltes*, Proklos, 34: „das Mit-sein zeigt die Einheit nicht als eine unmittelbare,
    sondern als eine relationale, vermittelte Einheit."

32 *Proclus*, In Parm.: V. Cousin (Paris 1864) 757,7 f.: τὸ καὶ χωρεῖν δι' ἀλλήλων ἀσυγ-
    χύτως καὶ διακεκρίσθαι ἀπ' ἀλλήλων ἀδιακρίτως.

a specific goal in mind, and he pursued it in response to his adversaries by rethinking the controversial topics in such as way as to give them a metaphysical shape that could best help him to contrast the current doctrinal dangers. If these topics are the real concern of his work, modern precomprehension must not hold him captive in a systematic philosophical interest which was not his own: other topics, theological as well as philosophical, are ignored simply because they do not belong to Dionysius' immediate sphere of interest.

Dionysius Ps.-Areopagita
und seine astronomischen Kenntnisse

Franz Mali (Fribourg)

Dass der Verfasser der pseudo-areopagitischen Schriften philosophisch her-vorragend gebildet war, ist wohl bekannt. Es lässt sich aber auch zeigen, dass er zudem beste astronomische Kenntnisse besaß. Diese Tatsache lässt sich gut an einer Stelle aus der Ep. 7 nachweisen, wo Dionysius die Finsternis zur Todes-stunde Jesu zu erklären versucht, wie sie von den Synoptikern erwähnt wird: Mt 27,45; Mk 15,33; Lk 23,44. Dionysius interpretiert diese Dunkelheit als Sonnen-finsternis zur Unzeit. Da dieser Text des Ps.-Areopagiten auf den ersten Blick schwer verständlich ist, knüpfen sich daran verschiedene Deutungsversuche: Einzelne Autoren finden darin einen Hinweis für eine genauere Datierung oder Lokalisierung des Verfassers.

I. Eine Anspielung auf eine historische Sonnenfinsternis?

U. Riedinger zeigt auf, dass der Nachfolger des Proklos und dessen Biograph Marinus aus Neapolis (Sichern) in Samaria in seinem Werk Πρόκλος ἢ Περὶ εὐδαιμονίας *(Proclus sive de felicitate)* die Sonnenfinsternis vom 14. Januar 484 beschreibt, die er kurz nach Sonnenaufgang in Athen beobachtet hatte, die aber auch im syrischen Heliopolis als totale sichtbar war (Größe = 1,00 oder mehr) und die von Marinus als Vorzeichen für den nahen Tod des „Lichtes der Philosophie", d. i. Proklos (gest. am 17. 4. 485) gedeutet wurde.[1] „Es ist also

---

[1] *Marinus Neapolitanus*, Vita Procli 37: J. F. Boissonade (Paris 1929) 169,42–52. Vgl. dazu *F. K. Ginzel*, Spezieller Kanon der Sonnen- und Mondfinsternisse für das Länder-

sehr wahrscheinlich, daß Petros-Dionysios in Heliupolis mit einem ‚Apollophanes' dieselbe Sonnenfinsternis beobachtet hat."[2]

A. M. Ritter schließt sich dieser Hypothese Riedingers an, „nach der es sich bei Heliopolis eindeutig um das syrische Baalbeck und bei der Sonnenfinsternis um eine Zusammenschau der Eklipse während der Kreuzigung Christi mit dem für den 14. Januar 484 bezeugten astronomischen Ereignis handelt, das von der Schule als Vorzeichen für den Tod des gefeierten Lehrers Proklus gedeutet wurde."[3]

R. F. Hathaway denkt an eine Lesefrucht aus dem Werk *Vita Isidori* des aus Damaskus stammenden letzten Nachfolgers (διάδοχος) Platons als Leiter der Akademie Damaskios (462 – nach 533).[4] Damaskios war mit Isidor, dem Nachfolger des Marinus und seinem eigenen Vorgänger als Schuloberhaupt, nach Heliopolis in Syrien (Baᶜalbek im Libanon) gereist, um sich dort von Asklepiades Meteoriten zeigen und über sie viel Wunderbares erzählen zu

---

gebiet der klassischen Altertumswissenschaften und den Zeitraum von 900 vor Chr. bis 600 nach Chr. (Berlin 1899) 222: „Das Datum der Finsternis steht noch dadurch sicher, dass sie gemäss der Angabe des Marinus im Zeichen des Steinbockes stattfand (die Sonne war der Rechnung zufolge am 20. Dezember [483] in dieses Zeichen getreten) und zwar im Osten. ... Die andere prophezeite Finsternis, von der Marinus spricht, die nach dem Ablauf des ersten Jahres nach dem Tode des Proclus, also 486, geschehen werde, ist die totale von 486 Mai 19."

2   U. *Riedinger*, Pseudo-Dionysios Areopagites, Pseudo-Kaisarios und die Akoimeten, ByZ 52 (1959) 290. S. auch *Ders.*, Der Verfasser der pseudo-dionysischen Schriften, ZKG 75 (1964) 151: „Wir sind nahe daran, das syrische Heliupolis-Baalbek als die Stadt zu verstehen, in der Dionysios mit seinem Apollophanes eben diese Sonnenfinsternis am 14. Januar 484 beobachtet hat." U. Riedinger identifiziert den Dionysius, den Ps.-Areopagiten, mit Petrus, dem Walker (vgl. *U. Riedinger*, Pseudo-Dionysios Areopagites, 276-296).

3   *Pseudo-Dionysius Areopagita*, Über die Mystische Theologie und Briefe. Eingeleitet, übersetzt und mit Anmerkungen versehen von *A. M. Ritter*, BGrL 40 (Stuttgart 1994) 126, Anm. 52.

4   *R. F. Hathaway*, Hierarchy und Definition of Order in the Letters of Pseudo-Dionysius: A Study in the Form and Meaning of the Pseudo-Dionysian Writings (Den Haag 1969) 27–28: "Historical facts could be added: Damascius traveled with Isidore to ancient Heliopolis (Baalbek) to witness fiery objects in the sky (βαιτύλοι), possibly with Asclepiades, who seems to have lived near Heliopolis, was an astronomer and a man learned in Egyptian lore. In the Seventh Letter of Ps.-Dionysius we find a list of miracles from 'the histories of Hebrews' which described them in peculiar astronomical detail; in addition the most striking miracle told, the eclipse of the sun at the time of the crucifixion, is told as viewed from Heliopolis by 'Dionysius' and a companion noted for his scientific studies and passion for philosophy."

lassen.[5] Dazu ist allerdings zu bemerken, dass Damaskios in diesem Text keine Erwähnung irgendwelcher Sonnenfinsternis macht.

Für H. Görgemanns habe der Ps.-Areopagit die von Strabo beschriebene „historische ‚Warte' (des ägyptischen Heliopolis) zum Schauplatz der Sonnenfinsternis-Beobachtung gemacht. ... Das wäre ja ein schöner Zug von historischer Romantik, so wie wenn ein heutiger Autor eine bedeutsame Beobachtung bei einem Besuch in dem sagenumwobenen Schloß Uraniborg, dem Observatorium Tycho de Brahes, spielen ließe."[6]

Nach diesem Rückblick auf Interpretationsversuche, die eine historische Information aus dieser Auslegung des Dionysius in Ep. 7,2 herausfiltern oder davon ableiten wollen, ist es nötig, auf den Text des Dionysius in Detail einzugehen. Zuvor aber soll eine Beschreibung des astronomischen Phänomens einer Sonnenfinsternis stehen.

II. Die Sonnenfinsternis in Ep 7,2

1. Astronomische Erklärung einer Sonnenfinsternis

„Sonnenfinsternisse treten ein, wenn die dunkle Mondscheibe vor der Sonne vorbeizieht und sie ganz oder teilweise verdeckt."[7] „Günstigenfalls entsteht auf der Erdoberfläche ein Kernschattenfleck von 200 bis 300 km Durchmesser, der infolge der Bahnbewegung des Mondes und der Erdrotation in west-östlicher Richtung über die Erdoberfläche wandert und eine schmale Zone (Totalitätszone) beschreibt, in der die Finsternis total wird."[8] „Beim Verlauf einer

---

5   Vgl. *Damascius*, Vita Isidori (Epitoma Photiana) 94: C. Zintzen, BGLS 1 (Hildesheim 1967) 138,6–9.

6   Brief vom 28. 9. 1984 an A. M. Ritter, zit. in: *Dionysius*, Über die Mystische Theologie und Briefe (BGrL 40) 126, Anm. 52.

7   *K. Stumpff* (Hg.), Astronomie (Frankfurt am Main 1957) 86. Das gibt auch Maximus Confessor, der Scholien zu Werken des Dionysius Ps.-Areopagita verfasst hat, wieder: Scholia in Epistulam VII Sancti Dionysii (PG 4, 541 C): Φασὶ γὰρ, μὴ ἑτέρως γίνεσθαι τὴν ἔκλειψιν, εἰ μὴ συνεμπέσοι ἡ σελήνη τῷ ἡλίῳ. Übers.: „Man sagt nämlich, dass es eine Sonnenfinsternis nur dann gibt, wenn der Mond mit der Sonne zusammen fällt." Nach Auskunft von Frau Prof. B. R. Suchla (Brief vom 18. 7. 1996) ist der Urheber dieses Textes Maximus Confessor: „Die Teile 541 C (Κατὰ τὴν) – 541 C (τῷ ἡλίῳ) [= 541, Zeilen 35–39] stammen von Maximus Confessor, werden demnach in Teil 2 (= Schol Max Conf) stehen."

8   *K. Stumpff* (Hg.), Astronomie, 87.

derartigen [totalen] Finsternis sind folgende Erscheinungen besonders
bemerkenswert: der sich von rechts nach links vor die Sonne schiebende Mond
deckt vom ‚ersten Kontakt' an ständig wachsende mit Kreisbogen begrenzte
Teile der Sonne zu."[9] Man kann also sagen, vom Standpunkt des Beobachters
aus gehen Mond wie Sonne hintereinander im Osten auf und ziehen gegen
Westen, wobei die Sonne mit höherer Geschwindigkeit zu wandern scheint.
Dabei – im Falle einer Sonnenfinsternis – zieht die Sonne für den Beobachter
auf der Nordhalbkugel von links nach rechts hinter dem Mond vorbei, von dem
sie für eine bestimmte Zeit teilweise oder ganz verdeckt wird.[10] Da der Mond im
Falle einer Sonnenfinsternis genau zwischen Erde und Sonne steht, kann eine
solche nur eintreten, wenn Neumond ist.[11]

2. Der Text des Dionysius

Welche astronomischen Kenntnisse Dionysius der Ps.-Areopagit hatte, möchte
ich anhand einer Erklärung zeigen, die für die Finsternis zur Todesstunde Jesu
seine Ep. 7,2 bietet. Offenkundig versteht Dionysius diese Finsternis als eine
Sonnenfinsternis. Auffallend ist allerdings, dass Dionysius mit dem astronomischen Wissen seiner Zeit an die Deutung und mögliche Erklärung dieses
Phänomens herangeht.

    Bevor Dionysius die Finsternis am Todestag Jesu zu beschreiben versucht,
nennt er zwei ungewöhnliche und für ihn nur auf „übernatürliche"[12] Weise
erklärbare astronomische Erscheinungen, die er dem Alten Testament entnimmt,
und die nur durch Abweichung „von der Ordnung und Bewegung des Gestirnhimmels"[13] möglich sind: nämlich der Sonnestillstand in Jos 10 und die
Sonnenuhr in 2 Kön 20.[14]

---

9   *O. Thomas*, Astronomie und Probleme (Stuttgart 1956[7]) 564–565.

10   Die maximale Dauer einer Sonnenfinsternis für einen Ort beträgt 7 min 34 sek. (vgl.
     H.-H. Voigt, Abriß der Astronomie [Mannheim 1980] 70).

11   Davon hat auch schon der syrische Verfasser der Autobiographie (Ende 6. / Anfang 7.
     Jh.) Kenntnis, wenn er den Ps.-Areopagiten über den Zeitpunkt der Sonnenfinsternis beim
     Tode Jesu nachforschen lässt und feststellt (*M. A. Kugener*, Une autobiographie syriaque
     de Denys l'Aréopagite, OrChr 7 [1907] 304,8–9):ܘܗܒ ܠܐ ܡܣܩܢܐ ܚܙܟ ܗܘܐ. („Und
     der Tag der Geburt des Mondes war es nicht").

12   Ep. 7,2 (PTS 36, 167,10): κατὰ δύναμιν καὶ στάσιν ὑπερφυεστατην.

13   Ep. 7,2 (PTS 36, 167,4–5): ἔδει συνιδεῖν 'Απολλοφάνη, σοφὸν ὄντα, μὴ ἂν ἄλλως
     ποτὲ δυνηθῆναι τῆς οὐρανίας τι παρατραπῆναι τάξεως καὶ κινήσεως.

14   Vgl. auch *U. Riedinger*, Der Verfasser, 149.

a) Der Sonnenstillstand (Jos 10)

Dionysius nennt die Episode aus Jos 10, wo von einem völligen Stillstand der Sonne während eines ganzen Tages die Rede ist: Während des Eroberungs-feldzuges des Josua, auf dem er eine Stadt nach der anderen im verheißenen Land scheinbar mühelos besiegte, hatte sich die Stadt Gibeon kampflos den Eindringlingen ergeben und Frieden mit ihnen geschlossen. Dem König Adoni-Zedek missfiel dies, sodass er die Stadt Gibeon mit weiteren vier Königen belagern ließ. Josua befreite die Stadt und verfolgte die Feinde:

> Damals sprach Josua zum Herrn, an dem Tag, als Gott den Amoriter in die Hand Israels gab, ... und Josua sagte: Stehen bleibe die Sonne über Gibeon und der Mond über dem Tal von Ajalon! – Und stehen blieb die Sonne und der Mond im Stillstand, bis Gott ihre Feinde gerächt hatte. ... Und es blieb stehen die Sonne mitten am Himmel, sie schritt nicht gegen Untergang, einen vollen Tag lang.[15]

Dionysius nennt dieses Ereignis und versucht sich an einer Erklärung: Der Stillstand von Sonne und Mond auf das Gebet des Josua hin beim Entsatz von Gibeon kommt entweder einer plötzlichen Bewegungslosigkeit des gesamten Alls gleich, oder es blieben bloß Sonne und Mond einen Tag lang regungs-los, während die übrigen Gestirne ihren Lauf ordnungsgemäß beibehielten, am nächsten Tag allerdings setzten die beiden unteren Gestirne ihre Bewegung ab derselben Stunde wieder fort. Die Bewegung bzw. Bewegungslosigkeit von Sonne und Mond war demnach einen Tag lang vom übrigen Kosmos abge-koppelt; bzw. sie hatten sich für einen Tag aus dem üblichen Lauf und Rhythmus der Gestirne ausgeklinkt.[16]

---

15 Jos 10,12–13 (LXX).
16 Vgl. Ep. 7,2: PTS 36, 167,9–168,2: Ὅταν ἥλιος ὑπ' αὐτοῦ καὶ σελήνη κατὰ δύναμιν καὶ στάσιν ὑπερφυεστάτην ἅμα τῷ παντὶ πρὸς τὸ πάντη ἀκίνητον ὁρίζωνται καὶ εἰς μέτρον ἡμέρας ὅλης ἐπὶ τῶν αὐτῶν ἑστᾶσι τὰ πάντα σημείων· ἤ, τὸ τούτου γε πλεῖον, εἴπερ τῶν ὅλων καὶ τῶν κρειττόνων καὶ περιεχόντων, οὕτω φερομένων, οὐ συμπεριήγετο τὰ περιεχόμενα. Dt. Übers.: *Dionysius*, Über die Mystische Theologie und Briefe, 95: „Auf seine Anordnung hin hören – beispielsweise – gleichzeitig Sonne und Mond und mit ihnen das All vollkommen auf, sich zu bewegen, dank einer Kraft, die ebenso alle natürlichen Erklärungsmöglichkeiten weit übersteigt wie der (plötzliche) Stillstand; und einen vollen Tag lang verharrt das All bewegungslos in ein und demselben (Tierkreis-)Zeichen. Oder, was noch wunderbarer ist: Die (die niederen) umschließenden höheren Sphären setzen insgesamt ihren Lauf fort, ohne daß das von ihnen Umschlossene an ihrer Kreisbewegung teilhat."

b) Die Sonnenuhr (2 Kön 20)

Als zweites Beispiel für das übernatürliche Eingreifen Gottes in den Lauf der Sterne nennt Dionysius ein im 2. Buch der Könige erzähltes Ereignis: König Hiskija wurde todkrank. In seiner Not betete er zum Herrn, der seine Bitte um Verlängerung seines Lebens erhörte. Der Prophet Jesaja wird zu ihm gesandt mit der Verheißung: „Übermorgen wirst du zum Haus des Herrn hinaufgehen; zu deiner Lebenszeit will ich noch fünfzehn Jahre hinzufügen."[17] König Hiskija verlangt daraufhin vom Propheten ein Zeichen. Gemäß seiner Forderung „rief der Prophet Jesaja zum Herrn, und dieser ließ den Schatten die zehn Stufen zurückgehen, die er auf den Stufen des Ahas bereits herabgestiegen war".[18] Diese Stufen des Ahas waren als Sonnenuhr gebaut, und das Abwärtswandern des Schattens war der Ablauf der Zeit. Nun verlangte Hiskija aber genau das Gegenteil: Die Sonnenuhr sollte rückwärts gehen, d. h. der Schatten mußte hinauf wandern – und er tat es!

Nach der Rechnung des Dionysius dauerte dieser Tag, d. i. die Tageshelle, beinahe das Dreifache, genauerhin um zwanzig Stunden länger: Der Schatten wanderte auf der Sonnenuhr zehn Stunden zurück und anschließend wieder zehn Stunden abwärts, sodass er also dieselben zehn Stunden dreimal durchmaß. Folglich mußte das All als Ganzes entweder zwanzig Stunden rückwärts gelaufen sein und dann „in übernatürlichen Gegenumdrehungen" diese Zeit aufgeholt haben, um den Lauf ordnungsgemäß fortsetzen zu können, oder die Sonne hielt an, und der Schatten wanderte auf der Uhr unabhängig von der Sonne, die daraufhin auf einer neuen, unbekannten, jedoch im Vergleich zur üblichen sicher kürzeren Bahn die zwanzig Stunden „Verspätung" im Vergleich zum übrigen Kosmos aufholte, um in der Harmonie der Planetenbahnen den entsprechenden Platz wieder einzunehmen.[19]

---

17   2 Kön 20,5–6.

18   2 Kön 20,11. Vgl. auch die Parallelstelle in Jes 38,7–8.

19   Ep. 7,2: PTS 36, 168,2–7: καὶ ὅταν ἄλλη τις ἡμέρα κατὰ συνέχειαν σχεδὸν τρι-πλασιάζηται καὶ ἐν εἴκοσι ταῖς πάσαις ὥραις ἢ τὸ πᾶν τοσούτου χρόνου φορᾶς ἐναντίας ἀναποδίζῃ καὶ ἐπαναστρέφῃ ταῖς οὕτως ἄγαν ὑπερφυὲ στάταις ἀντι-περιαγωγαῖς ἢ ὁ ἥλιος ἰδίῳ δρόμῳ τὴν πεντάτροπον αὐτοῦ κίνησιν ἐν ὥραις δέκα συνελών, ἀναλυτικῶς αὖθις ὅλην αὐτὴν ἐν ταῖς ἑτέραις δέκα καινήν τινα τρίβων ὁδὸν ἀναποδίζῃ. Dt. Übers.: *Dionysius*, Über die Mystische Theologie und Briefe, 95: „Ein anderer Tag erreicht ohne Unterbrechung nahezu das Dreifache (seiner gewöhn-lichen Länge); folglich befindet sich das All volle zwanzig Stunden lang entweder um so viel Zeit zunächst in Rückwärtsbewegung, um dann wieder – in außernatürlichen Gegen-umdrehungen – seinen alten Lauf zurückzugewinnen, oder aber die Sonne unterbricht bei ihrem Lauf ihre fünffältige Bewegung zehn Stunden lang, und in einer weiteren Spanne

c) Die Finsternis zur Todesstunde Jesu

In diese Aufzählung paradoxer astronomischer Erscheinungen reiht Dionysius die Dunkelheit am Todestag Jesu ein, die der Ps.-Areopagit als Sonnenfinsternis interpretiert: Da Jesus am Vortag des Pessach gekreuzigt worden ist, muss zu dieser Zeit Vollmond gewesen sein. Dionysius weiß, dass in diesem Status aber eine Sonnenfinsternis auf natürliche Art gänzlich ausgeschlossen ist. Eine Sonnenfinsternis ist nur bei Neumond möglich, also zwei Wochen vor dem Pessach oder zwei Wochen nach dem Pessach. Folglich ist es für Dionysius eine übernatürliche Sonnenfinsternis.

Gemäß den Synoptikern dauert die Finsternis von der sechsten bis zur neunten Stunde. Für Dionysius ist also die astronomische Situation bis 12 Uhr Mittag regulär, genauso wie nach 15 Uhr, d. h. es ist Vollmond. Dazwischen allerdings findet eine Sonnenfinsternis statt, die nur bei Neumond denkbar ist. Zweimal muss also ein sprunghafter Wechsel des Mondstandes angenommen werden. Doch wie ist dies erklärbar oder nachvollziehbar?

Auf diese Frage – und nur auf diese Frage – versucht Dionysius eine Antwort zu geben:

> Sag ihm aber: Was sagst du aber über die Sonnenfinsternis, die bei der Kreuzigung des Erlösers stattgefunden hat? Als wir beide nämlich damals zugleich in Heliopolis anwesend waren und zusammenstanden, sahen wir, wie der Mond wider die (wissenschaftliche Lehr-)Meinung die Sonne verfinsterte – denn ein Zusammentreffen war nicht an der Zeit –, und wie er wiederum von der neunten Stunde bis zum Abend übernatürlicherweise auf der der Sonne diametral gegenüberliegenden Seite stand. Erinnere ihn aber auch an etwas anderes: Er weiß nämlich, dass wir gesehen haben, wie diese Verfinsterung im Osten begann und den Rand der Sonne erreichte, wie sie sodann zurückging, und weiters, wie nicht von derselben Seite wie die Verfinsterung auch die Aufklarung erfolgt war, sondern von der diametral gegenüberliegenden Seite her.
>
> Das alles sind die übernatürlichen Dinge, die zur damaligen Zeit geschahen und nur Christus, dem Allverursacher, möglich sind, der „Großes und Wunderbares" schafft, „für das es keine Zahl gibt". Dies, sag, ob es dir richtig erscheint, und wenn möglich, Apollophanes, widerlege es auch mir ins Angesicht, der ich damals mit dir anwesend war, Einsicht gewonnen und alles geprüft habe, und staunte.[20]

---

von zehn Stunden holt sie, wieder in Bewegung gesetzt, den gesamten Rückstand auf, indem sie gleichsam eine neue Bahn einschlägt."

20 Ep. 7,2–3: PTS 36, 169,1–170,2: Εἰπὲ δὲ αὐτῷ· Τί λέγεις περὶ τῆς ἐν τῷ σωτηρίῳ σταυρῷ γεγονυίας ἐκλείψεως; Ἀμφοτέρω γὰρ τότε κατὰ Ἡλιούπολιν ἅμα παρόντε

Der Ps.-Areopagit erzählt, dass er und Apollophanes gemeinsam im soge-
nannten „Heliopolis" geweilt haben.

Zunächst wird festgestellt, dass die Sonnenfinsternis am Todestag Jesu mit
der (astronomischen) Wissenschaft im Widerspruch steht (παραδόξως). Während der Sonnenfinsternis wird der Mond – vom Standpunkt des Beobachters
auf der Erde aus gesehen – sozusagen „von hinten beschienen", wodurch er als
Neumond erscheint, ab der neunten Stunde allerdings steht der Mond nicht
mehr zwischen Erde und Sonne, sondern „diametral entgegengesetzt" hinter der
Erde nur in etwa[21] auf einer Linie Sonne–Erde–Mond. Nur in dieser Stellung ist
wieder Vollmond und die von der Sonne beleuchtete Seite des Mondes von der
Erde aus sichtbar. Dionysius und Apollophanes „sahen" des Weiteren, dass die
Finsternis nicht in west–östlicher Richtung verlief, sondern entgegengesetzt in
ost–westlicher Richtung, wobei der Mond genau in der Zeitspanne der Sonnenfinsternis seine Richtung wechselte, was genauso widernatürlich ist wie
das Eintreten der Finsternis als solcher. Ab der neunten Stunde jedenfalls steht
der Mond wieder am richtigen Ort, wird von der Sonne „von vorne" beleuchtet
und ist als Vollmond auf der Erde sichtbar. Abschließend fasst Dionysius noch-
mals alle in diesem Brief genannten übernatürlichen Phänomene zusammen,
derer es unzählig viele gibt – diese Bedeutung hat das Zitat im biblischen

---

καὶ συνεστῶτε παραδόξως τῷ ἡλίῳ τὴν σελήνην ἐμπίπτουσαν ἑωρῶμεν – οὐ γὰρ
ἦν συνόδου καιρός – αὐθίς τε αὐτὴν ἀπὸ τῆς ἐνάτης ὥρας ἄχρι τῆς ἑσπέρας εἰς
τὸ τοῦ ἡλίου διάμετρον ὑπερφυῶς ἀντικαταστᾶσαν. Ἀνάμνησον δέ τι καὶ ἕτερον
αὐτόν· οἶδε γάρ, ὅτι καὶ τὴν ἔμπτωσιν αὐτὴν ἐξ ἀνατολῶν ἑωράκαμεν ἀρξαμένην
καὶ μέχρι τοῦ ἡλιακοῦ πέρατος ἐλθοῦσαν, εἶτα ἀναποδίσασαν καὶ αὖθις οὐκ ἐκ
τοῦ αὐτοῦ καὶ τὴν ἔμπτωσιν καὶ τὴν ἀνακάθαρσιν, ἀλλ' ἐκ τοῦ κατὰ διάμετρον
ἐναντίου γεγενημένην. Τοσαῦτά ἐστι τοῦ τότε καιροῦ τὰ ὑπερφυῆ καὶ μόνῳ Χρισ-
τῷ τῷ παναιτίῳ δυνατά, τῷ ποιοῦντι «μεγάλα καὶ ἐξαίσια, ὧν οὐκ ἔστιν ἀριθμός».
Ταῦτα, εἴ σοι θεμιτόν, εἰπέ, καὶ δυνατόν, Ἀπολλόφανες, ἐξέλεγχε καὶ πρὸς ἐμὲ
τὸν τότε καὶ συμπαρόντα σοι καὶ συνεωρακότα καὶ συνανακρίναντα πάντα καὶ
συναγάμενον.

21   Natürlich nicht genau, sonst wäre Mondfinsternis, wie z. B. am 4. April 1996, als der
     Ostervollmond durch den Erdschatten bedeckt wurde: Beginn der sichtbaren Mond-
     finsternis [Augsburg]: 3. 4. 1996: 23.16 Uhr Mitteleuropäische Sommerzeit; Totalitäts-
     phase: 0.21 bis 2.53 Uhr; Ende der sichtbaren Mondfinsternis: 3.59 Uhr Mitteleuro-
     päische Sommerzeit. Vgl. *J. Meeus, H. Mucke*, Canon of Lunar Eclipses -2002 to +2526 :
     Canon der Mondfinsternisse -2002 bis +2526 (Wien 1983²) 216: Uhrzeit der größten
     Phase (Ephemeridenzeit [ET]): $0^h 11^m$; halbe Dauer der Partialität: 108^m, halbe Dauer der
     Totalität: 43^m; Ort, für den die Mondmitte zum Zeitpunkt der größten Phase im Zenit
     steht: geogr. Länge $\lambda = 2°$ / geogr. Breite $\varphi = -6°$.

Zusammenhang[22] –, sondern für deren mathematische Berechnung („mit Zahlen") keine Formel existiert, d. h. „für die es keine Zahl gibt" (ὧν οὐκ ἔστιν ἀριθμός).

3. Deutung mit Hilfe eines sphärischen Astrolabiums

Der Erklärungsversuch mit den Drehungen und Bewegungen bekommt erst einen plausiblen Sinn, wenn man annimmt, Dionysius und Apollophanes haben die Sonnenfinsternis auf einem Modell zu simulieren versucht. Demnach haben sie sich an einem „sphärischen Astrolabium"[23] oder „Ring-Astrolabium"[24] die Vorgänge und möglichen Bahnen der Planeten „angeschaut" und „gesehen", dass sie im Rahmen der natürlichen Ordnung und Bewegungen nicht erklärbar sind.

Ein solches sphärisches Astrolabium (bzw. Armillarsphäre) will ein Modell des Universums sein, bei dem das geozentrische Weltsystem abgebildet wird und dessen Aufgabe es ist, die Länge und Breite der Sterne abzumessen.[25] Die erste ausführliche Beschreibung bietet Claudius Ptolemäus, alexandrinischer

---

22 Ijob 5,9; 9,10

23 *O. Neugebauer*, A History of Ancient Mathematical Astronomy, Studies in the History of Mathematics and Physical Sciences 1 (Berlin 1975) 1036: "the 'ringed' or spherical 'astrolab'." Seit dem Mittelalter wird es Armillarsphäre genannt. „Die Armillarsphäre wurde ... benützt, um die Planetenbewegung zu veranschaulichen. Dieses Gerät besteht aus einem Netz von Ringen (Armilla = Ring, Kugel), die die gedachten Kreise der Himmelskugel darstellen. Zugrunde gelegt wurde meist das *Ptolemäische Weltsystem* mit der Erde im Zentrum. Die wichtigsten Ringe bezeichnen den Himmelsäquator, die beiden Wende- und Polkreise, den Tierkreis *(Ekliptik)* und die beiden *Kolurkreise* (Kreise durch den Himmelspol und durch je zwei der vier Jahrespunkte auf dem Tierkreis, nämlich Tag- und Nachtgleichen bzw. Winter- und Sommersonnenwenden)" (Enzyklopädie Naturwissenschaft und Technik : Medizin und Biologie; Chemie und Physik; Mathematik und Informatik; Geowissenschaft und Astronomie; Bau- und Verkehrstechnik; Elektro- und Energietechnik; Verfahrens- und Werkstofftechnik, Gesamt-Redaktion Dr. *F. Schuh*, Bd. 1 [München 1979] 267). Dieses Gerät ist der kleine Vorläufer des heutigen Planetariums.

24 *G. Kauffmann*, Art. Astrolabium, in: RE II/4 (1896) 1798.

25 Vgl. *A. Rome*, L'Astrolabe et le Météoroscope d'après le commentaire de Pappus sur le 5ᵉ livre de l'Almageste, in: Annales de la société scientifique de Bruxelles 47 (1927) 80: « L'astrolabe est essentiellement destiné à la mesure directe des longitudes et des latitudes d'astres, en n'importe quel lieu de la terre. »

Astronom des 2. Jh.s n. Chr., in seiner *Mathematischen* oder *Großen Syntaxis* („*Almagest*")[26] und im 2. Buch *De hypothesibus planetarum* ('Υποθέσεων τῶν πλανωμένων, *Über die Darlegung des gesamten Verhaltens der Planeten*).[27] Dabei zeigt sich, dass Ptolemaios ein äußerst kompliziertes Gerät beschreibt, bei dem er auf 41 „bewegliche Sphären"[28] (Ringe) kommt, von denen mindestens

---

26   *Claudius Ptolemaeus*, Syntaxis mathematica V,1: J. L. Heiberg, Opera omnia 2/1 (Lipsiae 1898) 350–354; 350: Περὶ κατασκευῆς ἀστρολάβου ὀργάνου. *O. Neugebauer*, A History, 871: "The term 'astrolab' is used by Ptolemy in the Almagest for the armillary sphere, described in detail in Book V,1. Probably the 'horoscopic astrolabe', recommended in the Tetrabiblos for accurate observations, is a similar, if not the same, instrument. In the Geography (I,2) 'astrolabs' are mentioned as instruments for the determination of geographical coordinates, thus most likely again referring to the armillary sphere which would serve this purpose well. Thus we can be fairly sure that the term 'astrolab' in the time of Ptolemy only means instruments for the observation of positions of celestial bodies, but not the planisphaerium." *B. L. van der Waerden*, Die Astronomie der Griechen : Eine Einführung (Darmstadt 1988) 276: „Im sechsten Buch des ‚Almagest' wird zunächst die Berechnung der mittleren und wahren Neumonde und Vollmonde gelehrt. Sodann werden die Grenzen der Mondbreite bestimmt, in denen Sonnen- und Mondfinsternisse möglich sind. In den Kapiteln 7–13 wird schließlich die Berechnung von Anfang, Ende und Größe einer Finsternis behandelt."

27   Vom 1. Buch ist teilweise noch der griechische Text erhalten: Claudii Ptolemaei De hypothesibus planetarum (Κλαυδίου Πτολεμαίου Ὑποθέσεων τῶν πλανωμένων), in: C. Ptolemaei Opera astronomica minora edidit *J. L. Heiberg*, C. P. Opera quae extant omnia 2 (Lipsiae 1907) 69–107. Als Ganzes ist das Werk nur in einer arabischen Übersetzung überliefert: *C. Ptolemaeus*, The Arabic Version of Ptolemy's Planetary Hypotheses, hrsg. v. *B. R. Goldstein*, TAPhS, NS 57, 4 (Philadelpia 1967). Dt. Übersetzung: Κλαυδίου Πτολεμαίου Ὑποθέσεων τῶν πλανωμένων <Β'> ex arabico interpretatus est *L. Nix*, in: C. Ptolemaei Opera astronomica minora edidit *J. L. Heiberg*, C. Ptolemaei Opera quae extant omnia 2 (Lipsiae 1907) 110–145. Zur weiteren Textsituation s. *O. Neugebauer*, A History, 900. Eine ausführliche Analyse der Konstruktionsangaben des Apparates findet sich ebd. 922–926 mit den dazugehörenden Abbildungen 90–94 (ebd. 1403–1405).

28   Vgl. *C. Ptolemaeus*, The Arabic Planetary Hypotheses 53,14–22. Dt. Übers.: Κλαυδίου Πτολεμαίου Ὑποθέσεων τῶν πλανωμένων <Β'> 17: Opera omnia 2, 141,27–142,8: „Die Gesamtzahl der Sphären nach der ersten Betrachtungsweise ist also einundvierzig. Davon sind 8 bewegende, eine für die Fixsterne, eine für die Sonne, vier für den Mond und für jedes einzelne von den Gestirnen Saturn, Jupiter, Mars und Venus fünf; unter diesen ist für jedes einzelne der Gestirne eine begleitende und eine, die sich ihr entgegengesetzt bewegt. Merkur hat sieben Sphären, darunter eine begleitende und eine sich ihr entgegengesetzt bewegende. Das sind also im ganzen einundvierzig Sphären. Nach der zweiten Art der Lage ist die Gesamtzahl der Körper neunundzwanzig. Davon sind drei hohle Sphären, nämlich die die Fixsterne bewegende Sphäre, diejenige für die

22 Einzelteile notwendig sind.[29] Eine Rekonstruktion dieses beschriebenen Instrumentes versuchte der Architekt A. Rome, wobei er den Kommentar des Pappos von Alexandrien (Anfang 4. Jh. n. Chr.),[30] des „letzte(n) bedeutende(n) griechische(n) Mathematiker(s)",[31] und die Erklärung des Proklos zu Hilfe nahm.[32]

Fixsterne und die Sphäre für den Rest des Äthers, und sechsundzwanzig Sphärenstücke. Auch hierbei hat die Sonne ein Sphärenstück, der Mond vier, Saturn, Jupiter, Mars und Venus je vier, und Merkur fünf; im Ganzen also neunundzwanzig Körper."

29 Vgl. *C. Ptolemaeus*, The Arabic Planetary Hypotheses 53,22–27. Dt. Übers.: Κλαυδίου Πτολεμαίου Ὑποθέσεων τῶν πλανωμένων <B'> 17: Opera omnia 2, 142,9–19: „Wenn wir nun annehmen, daß die Bewegungen der Gestirne ihnen selbst zukommen, nicht etwa anderen Körpern, die sie bewegen, so wird sich die erwähnte Zahl der Körper nach jeder der beiden Betrachtungsweisen um je eins verringern bei jedem von den Planeten, so daß von der Summe sieben abgehen; es sind also nach der ersten Art vierunddreißig Sphären, nach der zweiten aber gleichfalls drei Sphären und neunzehn Sphärenstücke, die Gesamtzahl der Körper mithin zweiundzwanzig. Es gibt nun gar kein Vorkommnis, das dieser Erscheinung entgegengesetzt wäre." Vgl. *O. Neugebauer*, A History, 925–926: "This brings us to Ptolemy's final account for the number of 'spheres' required by his model for the universe: 'moving' ether spheres: 8 – fixed stars: 1 – outer planets and Venus: 20 (3 each, surrounding A, plus 2 for epicycle) – sun: 3 – Mercury: 7 (5 surrounding A, plus 2 for epicycle) – Moon: 4 (3 surrounding A, plus 1 for epicycle). This would give a total of 43; Ptolemy, mysteriously giving the sun only one sphere, finds 41 ... By some speculations replacing the complete 'spheres' by 'rings' and 'tambourins' he [Ptolemy] comes as low as 22 necessary pieces."

30 *Pappus*, Commentarius in librum quintum et sextum Claudii Ptolemaei syntaxeos mathematicae [Πάππου Ἀλεξανδρέως εἰς τὸ πέμπτον καὶ εἰς τὸ ϛ´ τῶν Κλαυδίου Πτολεμαίου μαθηματικῶν σχόλιον], in: Commentaires de Pappus et de Théon d'Alexandrie sur l'Almageste I: Pappus d'Alexandrie: Commentaire sur les livres 5 et 6 de l'Almageste, texte établi et annoté par *A. Rome*, StT 54 (Roma 1931) 1–314; zu Buch V,1: S. 1–16.

31 *K. Ziegler*, Art. Pappos von Alexandria, in: RE XVIII/36.2 (1949) 1084; ebd. 1086: „P.[appos] hat nicht nur unter Diocletian, sondern unter ihm und Constantin dem Großen geschrieben ... Wir dürfen ... annehmen, daß er in Alexandreia, vermutlich am Museion wie früher Ptolemaios und später Theon, als Lehrer der Mathematik, Astronomie und Geographie gewirkt hat."

32 *A. Rome*, L'Astrolabe, 79: « Que valent les renseignements qui vont suivre ? Je les prends dans Pappus, et un peu aussi dans Proclus. Pappus n'avait plus en mains l'astrolabe de Ptolémée lui-même, sans quoi il n'aurait pas dû en conjecturer les dimensions et les proportions d'après celles du météoroscope. Donc Pappus ajoute des détails de son cru, et ce ne sont pas nécessairement des détails traditionnelles : entre Ptolémée et Pappus, l'appareil a eu quelque 150 ans pour se transformer. » Vgl. ebd. 78: « *Reconstitution schématique de l'astrolabe, par M. P. Rome, ingénieur-architecte.* »

Diese sphärischen Astrolabien konnten aufgrund ihrer Konstruktion auf
jeden beliebigen Standort einer bestimmten geographischen Breite und Länge
eingestellt werden:[33]

> Nachdem diese Konstruktion soweit fertig war, maßen wir auf dem durch die
> beiden Pole gedachten Ring von jedem der beiden Pole der Ekliptik jenen Bogen
> ab, der sich zwischen den Polen der Ekliptik und dem Äquator zeigt. Die End-
> punkte dieser Bögen, die einander wiederum gegenüberliegen, machten wir fest,
> ähnlich dem Meridianbogen, mit dem wir am Anfang der Abhandlung die Dinge
> in bezug auf die Beobachtungen des Meridianbogens zwischen den Punkten der
> Sonnenwende dargelegt haben. Nachdem dieser [äußerste Meridianring] in
> derselben Lage wie jener eingerichtet worden ist, d. h. senkrecht zur Hori-
> zontalebene und auf der entsprechenden Polhöhe des zugrundeliegenden Ortes
> und ebenso parallel zur Ebene des aktuellen Meridians, wird also die Umdre-
> hung der inneren Ringe um die Pole des Äquators von Osten nach Westen ent-
> sprechend der ersten Bewegung des Alls vollzogen.[34]

Da sich der Himmelshorizont auf den verschiedenen geographischen Breiten
anders darstellt, müssen die Drehbewegungen der Planeten und Sterne entsprechend anders (in anderer Höhe und Kurve) nachgeahmt werden. Folglich
musste das sphärische Astrolabium für jeden Ort, der auf einer anderen geographischen Breite lag, neu adaptiert werden. Im Unterschied dazu teilt uns
Ptolemaios über das flache, „plane" Astrolabium mit, das er in seinem Werk
Planisphaerium ([ἐξ]άπλωσις ἐπιφανείας σφαίρας) beschreibt, dass dieses
auf die geographische Breite von Unterägypten festgelegt war.[35]

---

33   *O. Neugebauer*, A History, 871: "As outer rim of the instrument appears the greatest
     always invisible circle, thus again an element which depends on one given geographical
     latitude."

34   *C. Ptolemaeus*, Syntaxis mathematica V,1: Opera omnia 2/1, 352,17–353,10: τούτων δ'
     οὕτως γενομένων ἀποστήσαντες ἐπὶ τοῦ δι' ἀμφοτέρων τῶν πόλων νοουμένου
     κύκλου ἀφ' ἑκατέρου τῶν τοῦ ζῳδιακοῦ πόλων τὴν μεταξὺ δεδειγμένην περιφέ-
     ρειαν τῶν δύο πόλων τοῦ τε διὰ μέσων τῶν ζῳδίων καὶ τοῦ ἰσημερινοῦ τὰ γενό-
     μενα πέρατα κατὰ διάμετρον πάλιν ἀλλήλοις ἐνεπολίσαμεν καὶ αὐτὰ πρὸς τὸν
     ὅμοιον μεσημβρινὸν τῶν ἐν ἀρχῇ τῆς συντάξεως ὑποδεδειγμένων πρὸς τὰς τῆς
     μεταξὺ τῶν τροπικῶν τοῦ μεσημβρινοῦ περιφερείας τηρήσεις, ὥστε τούτου κατὰ
     τὴν αὐτὴν θέσιν ἐκείνῳ καταστασταθέντος, τουτέστιν ὀρθοῦ τε πρὸς τὸ τοῦ ὁρίζοντος
     ἐπίπεδον καὶ κατὰ τὸ οἰκεῖον ἔξαρμα τοῦ πόλου τῆς ὑποκειμένης οἰκήσεως καὶ
     ἔτι παραλλήλου τῷ τοῦ φύσει μεσημβρινοῦ ἐπιπέδῳ, τὴν τῶν ἐντὸς κύκλων περι-
     αγωγὴν ἀποτελεῖσθαι περὶ τοὺς τοῦ ἰσημερινοῦ πόλους ἀπ' ἀνατολῶν ἐπὶ δυσμὰς
     ἀκολούθως τῇ τῶν ὅλων πρώτῃ φορᾷ.

35   *O. Neugebauer*, A History, 871: "The Instrument to which Ptolemy refers at the end of
     his treatise is adapted to only one geographical latitude, Lower Egypt." Vgl. *C. Pto-
     lemaeus*, Planisphaerium 20: J. L. Heiberg, Opera omnia 2 (Lipsiae 1907) 259.

Vor allem in seinem Werk *Hypotyposis astronomicarum positionum* (Ὑποτύπωσις τῶν ἀστρονομικῶν ὑποθέσεων)[36] zeigt Proklos, dass er hervorragende astronomische Kenntnisse besitzt. Diese Schrift bietet dem Leser eine gute Einführung in die ptolemäische Astronomie. Der Verfasser zeigt besonderes Interesse an der Konstruktion und am Gebrauch des sphärischen Astrolabiums,[37] das Ptolemaios in der *Syntaxis mathematica* V,1 beschrieben hat. Proklos widmet diesem Instrument ein eigenes Kapitel und beschreibt sogar die Ausmaße des Apparates.[38]

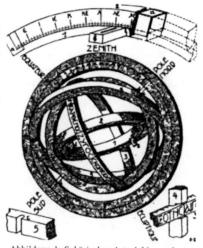

Abbildung 1: Sphärisches Astrolabium rekonstruiert nach dem Kommentar von Pappus zum Almagest (von M.P. Rome)

Man darf wohl annehmen, dass Dionysius Ps.-Areopagita diese Beschreibung des sphärischen Astrolabiums von Proklos gekannt hat, vielleicht waren ihm sogar die Werke des Claudius Ptolemäus vertraut. Von Marinus, dem Nachfolger des Proklos, „wissen wir, daß er über den Kommentar des Pappos

---

36 *Proclus*, Hypotyposis astronomicarum positionum. Una cum scholiis antiquis e libris manu scriptis edidit germanica interpretatione et commentariis instruxit C. *Manitius* (Stutgardiae 1974 [Nachdr. von 1909]).

37 *Proclus*, Hypot. VI: Manitius 198–212; VI,1: 198,14–20: Περὶ ἀστρολάβου κατασκευῆς καὶ χρήσεως. Ἐπειδὴ δὲ καὶ πρὸς τὰς τῆς σελήνης τηρήσεις καὶ πρὸς τὰς τῶν ἀπλανῶν ὄργανον χρήσιμον ὁ Πτολεμαῖος ἐν τῷ πέμπτῳ τῆς Συντάξεως ἐκδέδωκε, λέγω δὴ τὸν διὰ τῶν ἑπτὰ κύκλων ἀστρολάβον, ἐκθήσομαί σοι καὶ τὴν τούτου κατασκευὴν καὶ τὴν χρῆσιν ὡς οἷόν τε σαφέστατα. Übers. ebd.: „Nachdem Ptolemäus im fünften Buche der Syntaxis ein sowohl zu Mond-, wie auch zu Fixsternbeobachtungen brauchbares Instrument zu allgemeiner Kenntnis gebracht hat, ich meine den aus sieben Kreisen bestehenden Astrolab, will ich Dir Konstruktion und Gebrauch desselben so klar als möglich beschreiben."

38 *Proclus*, Hypot. III,5: Manitius 42,5–13: Κατασκευάσθω κύκλος χαλκοῦς τῷ μεγέθει σύμμετρος, ἵνα μήτε διὰ τὴν ὑπερβολὴν ἢ δυσκίνητος, μήτε διὰ τὴν ἐλάττωσιν πρὸς τὰς κατατομὰς ἀνεπιτήδειος. εἴη δ᾽ ἂν σύμμετρος ἔχων τὴν διάμετρον μὴ ἐλάττονα ἡμιπηχυαίου μεγέθους. Übers. ebd. 43: „Man lasse sich einen metallenen Ring von einer das richtige Maß einhaltenden Größe anfertigen, damit er weder infolge zu geringen Umfanges ungeeignet zur Anbringung der feineren Gradeinteilung sei. Die richtige Größe dürfte er etwa haben, wenn sein Durchmesser nicht unter einer halben Elle

zum Buch V der *Großen Syntaxis* Vorlesungen gehalten hat".[39] Es ist nur plausibel, dass sowohl Proklos als auch Dionysius Astrolabien gekannt und benutzt haben.

III. Ergebnis

1. Dionysius benutzt ein Astrolabium

Zieht man all diese mathematischen und astronomischen Kenntnisse der neuplatonischen Schule in Betracht und sieht man die Analyse der paradoxen astronomischen Phänomene, die Dionysius bietet, zeigt sich, dass der Ps.-Areopagite hervorragende astronomische Kenntnisse hatte, die auf der Höhe der Naturwissenschaft seiner Zeit waren. In der Schulastronomie der Antike[40] war

---

beträgt." *O. Neugebauer*, A History, 1036: "Proclus, in spite of all his philosophical prejudices had sound astronomical knowledge as is shown by his 'Hypotyposis.' This work provided the reader with a good introduction to Ptolemaic astronomy – one might say, the first and last summary of the contents of the Almagest from antiquity. Proclus shows special interest in the design of instruments described in Alm. I,12 (determination of the obliquity of the ecliptic) and in V,1 (the 'ringed' or spherical 'astrolabe'). Here, Proclus leads us beyond the information one finds in the Almagest by giving dimensions of such instruments." A. *Rome*, L'Astrolabe, 81: « Proclus prend ½ coudée pour le cercle extérieur, comme dans le météoroscope, et les cercles ont, pour 60 de rayon, 4 de "profondeur", et 2½ de "largeur". »

39   *O. Neugebauer*, A History, 1036–1037: "We know that he [Marinus] lectured on Pappus' commentary to Book V of the Almagest."

40   Schon Aratos beschreibt in seinem Werk *Phainomena* den Himmel nur anhand eines *Textes*, spricht aber so, als ob er alles *in natura* beobachtet hätte. B. *L. van der Waerden*, Die Astronomie der Griechen, 86–87: „Unter dem Titel ‚Phainomena' hat Eudoxos [von Knidos (um 370 v. Chr.)] eine populäre Schrift über die Erscheinungen des Fixsternhimmels verfaßt, die später von Aratos in Verse umgesetzt wurde. Die ‚Phainomena' des Aratos sind uns erhalten, ebenso eine Kritik des Hipparchos an den Phainomena des Eudoxos und Aratos [1. Hälfte 3. Jh. v. Chr.] ... Die Anfangspunkte der Zeichen sind nicht am Himmel markiert, wohl aber am Globus. Aus diesem Grunde nimmt man allgemein an, daß Eudoxos einen Sternenglobus benutzt hat." Auch für den großen Kritiker des Eudoxos und Aratos Hipparchos aus Nikaia in Bithynien (2. Jh. v. Chr.) gilt, „daß die Angaben ... nicht direkt am Himmel beobachtet sind, sondern an einem drehbaren Globus, auf dem die Ekliptik mit ihren 12 Zeichen zu je 30° eingezeichnet war. Die Analyse zeigt, daß der Globus von Hipparchos sehr genau gearbeitet ... war" (ebd. 174). M. Erren schreibt in der Einführung zu *Aratos*, Phainomena: Sternbilder und Wetterzeichen, griechisch-deutsch hrsg. u. übers. *M. Erren* (Düsseldorf 2009) 112: „Es berührt uns aber

allgemein die Anschauung anhand von Modellen und Karten vorherrschend gegenüber der Beobachtung in der Natur: So hat offenkundig auch Dionysius die sonderbaren astronomischen Phänomene, die er in Ep 7 beschreibt, mit Hilfe eines solchen sphärischen Astrolabiums (Armillarsphäre) nachzuvollziehen und nachzurechnen versucht; denn dazu leitet Proklos explizit an.[41] Schon Ptolemäus hatte solche Anweisungen gegeben,[42] der sein Gerät mit Hilfe der Tabellen gleichsam schon als eine astronomische Analogrechenmaschine[43] einstufte.

---

geradezu peinlich, wenn wir erst einmal merken, daß Arat die Sternbilder gar nicht aus eigenem Augenschein, sondern nur aus dem Buch kennt, und daß auch dieses Buch keineswegs die Natur, sondern die Zeichnung eines Globus beschreibt." Ebd. 114: „Der Astronomieunterricht im Gymnasium [ging] nicht von der Bewunderung der Himmels-erscheinungen aus, sondern vom Spielen mit der Globuskugel."

41   Proklos legt seinem Gastgeber in Lydien Perikles den Gebrauch eines sphärischen Astro-labiums wärmstens ans Herz: Ἡ μὲν οὖν κατασκευὴ καὶ ἡ χρῆσις τοῦ ἀστρολάβου τοιαύτη. καὶ σοὶ τοῦτο προκείσθω τὸ ὄργανον χρησιμώτατον μάλιστα πρός τε τὰς τῆς σελήνης καὶ τὰς τῶν ἀστέρων τηρήσεις, ἃς οὐκ ἄλλως γίνεσθαι δυνατὸν ἢ διὰ τῆς σελήνης, ὡς καὶ αὐτὸς ὁ Πτολεμαῖος σαφέστατα γέγραφεν. (Hypot. VI,25: Manitius 212,1–6). Übers. ebd.: „Konstruktion und Gebrauch des Astrolabs ist hiermit beschrieben. So laß Dir denn dieses Instrument angelegentlichst empfohlen sein als höchst brauchbar sowohl zu den Beobachtungen des Mondes, als auch zu denen der Sterne, die auf keine andere Weise angestellt werden können, als durch die Vermittlung des Mondes, wie auch Ptolemäus selbst auf das deutlichste dargelegt hat."

42   Für derartige Beobachtungen will er in seiner Schrift Ὑποθέσεις τῶν πλανωμένων ein Werkzeug bieten: C. Ptolemaeus, The Arabic Planetary Hypotheses 54,17–23. Dt. Übers.: Κλαυδίου Πτολεμαίου Ὑποθέσεων τῶν πλανωμένων <B'> 18: Opera omnia 2, 143,23–144,3: „Denn wer darnach [nach den Erscheinungen betreffs der Bewegungen der Gestirne] forscht, kann es verstehen und erkennen, wenn er die hypothetischen Lagen derselben sammelt und vergleicht mit den Beobachtungen, inbetreff derer nicht zu zwei-feln ist, daß die Beurteilung (der Beobachter) dessen, wonach die Lagen, durch Bei-spiele an Instrumenten geschehen und nach einer Methode, welche die Tabellen umfaßt, deren man sich für die Kanones bedient. Damit nun die Berechnung dergleichen Bewe-gungen, deren man sich bei den Instrumenten, die den Tamburins ähnlich sind, bedient, leicht und nicht schwer sei für einen Anfänger der Wissenschaft, haben wir in dem Tabellenwerk, das auf diese unsere Schrift folgt, die Bewegung jedes einzelnen Planeten gemäß den Grundlagen und den Methoden, die wir befolgten, niedergelegt und die Ge-samtbewegung in den Gesamtjahren..."

43   H. Mucke, Das Planetarium als astronomische Analogrechenanlage, Annalen der Uni-versitäts-Sternwarte Wien 27/1 (Wien 1967) 5: „Die von der Natur dargebotenen Him-melserscheinungen können mit bestimmten Instrumenten zur Gänze oder in ihren maß-geblichen Teilen simuliert werden. Der Umfang und die Güte dieser analog den natür-lichen Gegebenheiten resultierenden Darstellungen bestimmt die Verwendbarkeit solcher Vorrichtungen, die man ganz allgemein astronomische Analogrechenmaschinen nennen kann."

Dionysius zeigt uns diese Praxis auch in seiner Erklärung der Finsternis zur Todesstunde Jesu, die er trotz genauer naturwissenschaftlicher Analyse nicht mit rationalen Mitteln erklären kann, sondern die von ihm nur durch eine übernatürliche Intervention Gottes verstehbar ist.

Die Aufzählung der auf natürlichem Wege astronomisch unmöglichen Ereignisse, unter denen die Sonnenfinsternis während des Sterbens Jesu den Höhepunkt bildet, soll dazu dienen, dass Apollophanes „einsieht" (συνιδεῖν), dass eine Abweichung von der Ordnung und Bewegung am Sternenhimmel nur durch dessen Schöpfer selbst bewirkt werden kann, den er verehren soll.[44] Der Schlusssatz weist in dieselbe Richtung, in dem Dionysius von sich sagt, „,Einsicht gewonnen' (συνεωρακότα [Perf.!]) und alles geprüft zu haben und zu staunen."

2. Dionysius behauptet nicht, die Finsternis beim Tod Jesu gesehen zu haben

Deutet man den Text in dieser Weise, behauptete der Verfasser nicht, jene Sonnenfinsternis mit eigenen Augen gesehen zu haben, die am Todestag Jesu eingetreten sei und die er ohnedies kaum beobachten hätte können.[45] Die

---

44 Vgl. Ep. 7,2 (PTS 36, 167,3–9): Καὶ ἵνα μὴ τὴν ἄλλων ἢ τὴν αὐτοῦ παρὰ τὸ δοκοῦν ἐξελέγχοιμι δόξαν, ἔδει συνιδεῖν Ἀπολλοφάνη, σοφὸν ὄντα, μὴ ἂν ἄλλως ποτὲ δυνηθῆναι τῆς οὐρανίας τι παρατραπῆναι τάξεως καὶ κινήσεως, εἰ μὴ τὸν τοῦ εἶναι αὐτὴν καὶ συνοχέα καὶ αἴτιον ἔσχεν εἰς τοῦτο κινοῦντα, τὸν ποιοῦντα αὐτὴν καὶ συνοχέα καὶ αἴτιον ἔσχεν εἰς τοῦτο κινοῦντα, τὸν ποιοῦντα πάντα καὶ μετασκευάζοντα κατὰ τὸν ἱερὸν λόγον. Πῶς οὖν οὐ σέβει τὸν ἐγνωσμένον ἡμῖν κἀκ τούτου καὶ ὄντως ὄντα τῶν ὅλων θεὸν ἀγάμενος αὐτὸν τῆς παναιτίου καὶ ὑπεραρρήτου δυνάμεως; Übers.: Dionysius, Über die Mystische Theologie und Briefe, 94–95: „Doch soll es nicht (den Anschein haben), als lege ich es – entgegen meiner eigenen Überzeugung – nun doch darauf an, anderer Meinung zu widerlegen, und sei es die des Apollophanes. Er müßte sich ja darüber als ein kundiger Mann selbst im klaren sein, daß es von der Ordnung und Bewegung des Gestirnhimmels niemals auch nur die geringste Abweichung geben kann, es sei denn, diese ginge von dem aus, der den Bestand dieser Ordnung garantiert und ihr Urheber ist: Er, ,der alles erschafft und verwandelt', wie das geheiligte WORT sagt [Am 5,8 (LXX)]. Wieso versäumt er es dann, den zu verehren, der sich uns auch darin zu erkennen gibt, den Gott des Alls, der da wahrhaftig ist, und ist nicht voll Bewunderung für ihn um seiner allursächlichen, unsagbar großen Kraft willen?"

45 Vgl. H.-J. Vogt, Rez. von: Pseudo-Dionysius Areopagita, Über die Mystische Theologie und Briefe. Eingeleitet, übersetzt und mit Anmerkungen versehen von A. M. Ritter, BGrL

Interpretation, er hätte die als Sonnenfinsternis gedeutete Dunkelheit während der Kreuzigung Jesu (ἐν τῷ σωτηρίῳ σταυρῷ) mit eigenen Augen beobachtet, würde unserem Autor wohl nicht gerecht werden, der über die astronomischen Gesetzmäßigkeiten gut Bescheid wusste[46] und offenkundig die Widernatürlichkeit des von den Synoptikern geschilderten Ereignisses erkannte: Für ihn ist die Sonnenfinsternis am Todestag Jesu erstens „wider die (wissenschaftliche) Meinung" (παραδόξως), denn sie fällt nicht in die Reihe der zyklisch wiederkehrenden Sonnenfinsternisse, weiters war sie im Ablauf der Gestirne nicht an der Zeit (οὐ γὰρ ἦν συνόδου καιρός),[47] und schließlich ist sie übernatürlich (ὑπερφυῶς), denn auf natürlichem Wege ist eine Sonnenfinsternis, bei der nur Neumond sein kann, und der Frühlingsvollmond – der Todestag Jesu war am Vortag zum Pessachfest der Juden – am selben Tag nicht möglich, daher auch in logischer Weise nicht erklärbar.

3. Dionysius hat kaum eine Sonnenfinsternis beobachtet

Im Unterschied zu Riedinger[48] denke ich nicht, dass das Ziel der Beschreibung der Sonnenfinsternis die Parallelisierung des Todes des Proklos mit jenem Christi sei. Es ist vielmehr ein Versuch, die Sonnenfinsternis am Todestag Jesu

---

40 (Stuttgart 1994), in: ThQ 176 (1996) 86: „... ob nun das syrische Baalbek oder das ägyptische Heliopolis (S. 125) gemeint ist, Pseudo-Dionys, dessen konsequentes und in sich geschlossenes Gedankengebäude R.[itter] immer wieder betont, kann nicht haben behaupten wollen, er sei dann doch am Karfreitag in Jerusalem gewesen."

46 Dies beweist die von Dionysius in Ep. 7,2 genannten mathematisch und astronomisch unerklärlichen – weil außerhalb der Ordnung und Bewegung des Sternenhimmels liegenden – Phänomene, die er dem Alten Testament entnimmt, und deren mathematische und astronomische Widersprüchlichkeit er aufzeigt.

47 Die Periode der zyklischen Wiederkehr der Sonnenfinsternisse (Saroszyklus: 18 Jahre, 11 Tage) „wurde von den Babyloniern, den Chinesen und schließlich auch von den Griechen und anderen Völkern des klassischen Altertums übernommen" (*K. Stumpff* [Hg.], Astronomie, 90). S. auch *H.-H. Voigt*, Abriß der Astronomie, 71: Diese Periode „diente zur Vorausberechnung".

48 *U. Riedinger*, Der Verfasser, 151: „Anders ausgedrückt ist die Parallele die: eine Sonnenfinsternis fand statt beim Tode Christi, seines Lehrers im Christentum, eine Sonnenfinsternis findet statt vor dem Tode des Proklos, seines Lehrers in der Philosophie. Diese beiden Ereignisse findet er in einem für ihn sehr eindrucksvollen Zusammenhange." *Ders.*, Pseudo-Dionysios Areopagites, 290: „Daß er [Petros-Dionysios] sie [die Sonnenfinsternis] in ep. 7,2 auf die Finsternis beim Tode Christi überträgt, ist literarische Fiktion, frei von Blasphemie, aber getragen von einer Fabulierlust ohnegleichen."

zu erklären. Aus dem Text geht nämlich nicht hervor, dass es sich um eine
Anspielung auf jene Sonnenfinsternis handelt, die auf den Tod des Proklos
gedeutet wurde. Es kann durchaus auch eine andere sein. Viel wahrscheinlicher
ist, dass Dionysius überhaupt keine Schilderung einer erlebten Sonnenfinsternis
bieten oder auf eine solche anspielen will. Anhand einer Armillarsphäre zeigt
er auf, dass diese Finsternis beim Tode Jesu mit Hilfe astronomischer Gesetze
nicht zu erklären ist: Diese Sonnenfinsternis hat also keine natürliche Ursache,
sondern kann nur eine übernatürliche haben.

The Name of God and the Name of the Author

Gorazd Kocijančič (Ljubljana)

Hans Urs von Balthasar wrote in his *Herrlichkeit* the following striking words on Dionysius:

> Do we teach this Syrian monk, who lived around year 500, anyhing new, when we prove that he is not the same as the one who was converted by the speech on the Areopagus around year 50? Does not this whole phenomenon lie on a wholly different level? On the level of typically Dionysian humility and mysticism, mysticism of someone who has to and wants to completely disappear as a person in order to live purely as a God's task – but there with all his might? Who like a person – similarly to Dionysian "hierarchies" – completely loses himself in taxis (i.e. order) and function in order to understand and convey the Light bestowed by the Church as directly and transparently as possible? ... We do not see who is Dionysius until we are able to see in this identification the form of his truthfulness; and deep down in our hearts we can feel joy that he was able to disappear behind Areopagite for centuries and most probably also to eternally hide his face even when he was dragged to the open in the time of grave robbers.[1]

In these words Balthasar grudgingly recognizes the worth of the critical work that was done by philology of the 19th century and at the same time he remains critically reserved regarding its evaluation of our author. And yet – do these words hide in themselves anything more than just Balthasar's positive evaluation of Dionysius' thought (at least at this stage; at the end of his *Theodramatics* the apophatic thought was much more critically looked upon)? Do they express only an ideological maneuver of recuperating something that the "objective" scholarship already ages ago rejected as *pia fraus*? The excuse that is still repeated by

---

[1] *H. Urs von Balthasar*, Herrlichkeit. Eine theologische Aesthetik. II. Band: Fächer der Stile (Einsiedeln 1962) 151-152.

those who find Dionysius an important part of their spiritual tradition – yet, still an excuse that remains completely irrelevant on the level of thought?

I am convinced that these words of Balthasar's express an undeveloped hermeneutical presentiment that surpasses the horizon of the common discussion of Denys' identity and therefore merits to be explained; the crucial text that could help us along the way is perhaps just Denys' text *On God's Names*, this long meditation on the name of the Unnamable.[2]

However, I will attempt to be a bit more radical. Before approaching *On Divine Names*, I shall look briefly on the problem of contemporary historical research and philosophical hermeneutics. My hypothesis is the following: for the right understanding of Denys' identity – the name of the autor – we need a completely new philosophical, historiographical and hermeneutical framework. The goal of this presentation is to outline this understanding. I would therefore like to use text of Dionysius – in particular a fragment of *On Divine Names* – as a kind of *phénomène saturé*, if I am allowed to use the expression of Jean-Luc Marion – a phenomenon which reveals the basic unsuitability of our horizon to the thing we are thinking about.

*

What do mystical henology and scientific thought about historical identity have in common? I assume, not much – and yet, too much at same time. This very paradox reveals the problem: history and mystical henology each on its own express a very different basic intuition of being, which cannot be put into a wider frame, and which, unfortunately, one cannot embrace simultaneously.

But an interesting problem arises when mystical henology becomes the object of scientific research. What happens then? Is there only one possibility, namely that basic intuition of henology submits itself under the sway of scientific ontology – or is it possible or even necessary that this occurs other way around?

---

2   This possibility has also recently been evoked in the book by Christian Schäfer who developed Balthasar's question into a discussion about the meaning of Denys' anonymity in connection with the philosophical interpretation of his theory of naming God: "Rather than looking for hidden clues that could reveal his (= Denys') identity, the author's self-declared intention and wilfully adopted way of looking at things for the purpose of his writings should be the basis for interpretation" (*Ch. Schäfer*, Philosophy of Dionysius the Areopagite. An Introduction to the Structure and the Content of the Treatise On the Divine Names, Leiden – Boston 2006, 19). See also *Ch. M. Stang*, Dionysius, Paul and the Significance of the Pseudonym, in: S. Coakley and Ch. M. Stang (eds.), Re-thinking Dionysius the Areopagite (Malden, MA – Oxford 2009) 11-25.

Let us have a look first at the basic structure of thought that attempts to scientifically establish the identity of someone. This thought is historiography which is supposed to identify what happened through the use of its methodology, through the broadest critical assessment of facts that are outside the horizon of some historical source. Or better, as it is sometimes said today, in connection with the theory of informatics: a historian is supposed to know as many sources as possible in order to establish the "noise" disturbing a particular historical signal. In such a way the distortion of the original voice of the past is established.[3] Information emitted from the source can be lost. "Equivocy" may only remain and be joined by other sounds, independent of the original source. A historian has to peel off these "noises" in order to get to the original signal with the help of other information and/or theory. Historiography, at least since the time when it was constituted in the scientific revolution that lasted from the late 18th to the late 19th centuries, generally agrees on that. The discussion of Denys' identity in the 19th century is an example of such a process.

Today, however, competing historiographical theories and their theoretical foundations provide different answers to the question whether historiography, *de facto* and in principle, corresponds to the past. The onion is peeled off layer after layer in order to come to its centre, and then we find out that there is no centre. The wholeness of the historical consists in these layers that fall off one by one: "historical narrations ... are verbal fictions whose meaning is as much fictitious as found – and whose forms are more closely connected with its counterpart in literature than in science."[4] This story has been told many times, in a more or less sophisticated way.[5] Its logic is simple: a critique eventually becomes critical of the very activity of criticism, then also of the criticism of this criticism – and the play of mirrors has no end. At the end there remain only two attitudes immanent to historiographical knowledge: on the one hand historiography can follow its own rhythm and abandon itself to the multiplying doubt of meta-narration, or it lets itself to lamentation and wants to – again in the name of its original commitment – stop the multiplication of meta-discourses and restitute the original or at least the remaining innocence of the correspondence of mind and (historical) things.

---

3   Cf. *F. I. Dretske*, Knowledge and the Flow of Information (Cambridge Mass. 1981); *A. Tucker*, Our Knowledge of the Past. A Philosophy of Historiography (Cambridge 2004) 18 f.; 94.
4   *H. White*, Tropics of Discourse (Baltimore 1978) 82.
5   Cf. *P. Lambert, P. Schofield* (eds.), Making History. An Introduction to the History and Practices of a Discipline (London 2004).

But what are we to do with this *adaequatio intellectus et rei*? With this question that challenges the very possibility of historical knowledge, we are leaving the field of historiography...

*

The question of the adequacy of our mind and history poses itself most clearly in the question of the identity of historical persons. Because what is at stake is their own being.

Who is Denys – the author of our text? Here – unfortunately, for the historians – the hard philosophy starts: a philosophical and fundamental epistemology of historicity that touches the fundamental ontological question of *being of the past*. This point is so critical that even the most daring post-modern criticism of the adequacy of historical narration of the past thematizes it far too meekly. The presupposition of even so radically opposed historiographical (meta)theories is namely only the oscillation between "yes" and "no" in a singular field where we already know the dichotomy of the past and historiography. Historiography is trapped in a common-sensical perception of reality – even when it reaches its limitations in its most radical postmodern criticism of historical writing.

Historiography, without any doubt, believes that it makes sense to talk about something that was. The only question that remains is whether it is possible for historiography to express this past being through the accumulation of facts, through their selection and narration. Philosophy, however, questions something preceding that question. What is hidden in the expression "it was"? Do we really understand it? And how do we understand it when we think that we understand it? If historiography claims to be a science, then this becomes a radical problem. There is no object of history. All we have are traces that can be investigated only if they are actually present. That is why there is a fundamental difference between natural science and historiography. Science that aims at the synchronicity of the common-sensical world has at its disposal – of course, always in its own "historical" way, rooted in time – a "natural" being, the phaenomenon that supports or subverts its models. Historiography does not have this possibility at all. It always works with the shadow of the radically absent. Its reconstructions of the reality behind the shadow are not measured against the reality but against the interplay of shadows. Historiography is a science only if it is the logic of synchronicity of this shadowy trace.

*

But, aren't the wounds of absence healed by this very historiographical logos? At least, this is the conviction upheld by historians. Let us listen to the beautiful princess Anna Komnene who summarized this conviction in her *Alexias* in the name of predecessors and successors:

> Time (χϱόνος) that runs irrepressibly and eternally moves in something, drags and takes with it everything that exists and drowns everything into the depth of invisibility: the deeds that are not worth mentioning and those that were great and worthy of our remembrance; in accordance to the tragedy "it engenders fuzzy things and hides those that have emerged." A historical discourse becomes a really strong dam for the current of time and in a way stops its irrepressible flow and holds together, embraces and does not allow to slip into the abyss of oblivion everything that emerges in it and everything that it had grasped.[6]

Although it is not polite, I would like to object to the princes and argue for the view that the βυϑός she talks about is absolutely different from the historical λόγος. Essentially incommensurable. Why?

Allow me a brief digression into ontology through the notion that Anna Komnene – and Dionysius the Areopagite – would understand, although, most probably, they would be surprised by my implications. The Byzantines called the divine or human concrete being ὑπόστασις. Leontius of Byzantium says: "The fathers use the word person/face (πϱόσωπον) for that what the philosophers call the indivisible essence/being (ἄτομος οὐσία)."[7] What is here expressed in the dispositive of the Aristotelian philosophy at the same time shows its radical limitation. With the concept of hypostasis I do not describe the concreteness of individual beings in the world or beyond it, the concreteness of the objectively personal that would elude language and would belong to δεῖξις, unutterable pointing with a finger, but the interiority without the exteriority, the interiority in which and as which we are given to ourselves: the concreteness of my own self in the way that I experience myself as that what is underlying everything that is being experienced. The most essential thing for a hypostasis is the experience of the first-person status which cannot become (modern) "subjectivity" because it lacks object. The insight into my hypostasis is, of course, not a part of consciousness that is drowned in the world and objectivity. It is triggered by the reflection of my *radical finitude*. Hypostasis is a way according to which we are given to ourselves before the mystery of our emergence into being and vanishing into our death. Everything exists through the touch with me – only I emerge from the total unknowability. And as a mortal being I travel into a complete

---

6   Alexias 1,1.
7   De sectis 1: PG 86, 1193A.

unknowability. If I am not, then nothing is. When I was not, nothing was. If I had not been, nothing would have been. Whatever exists, exists through the contact with me. The limits of my hypostasis are not only the limits of my world, but of the world as such.

From this point of view we can observe that common sense is wonderful, but not real. The common history is occurring as a secondary manifestation of the paradox of multiple unique beings. If I presuppose the existence of the same kind of totality in my fellow human being, then I encounter with this being also the complete unknowability of the other world where everything exists through the other being, which is, paradoxically, like my own being, unique. This is where the ethical embarrassment begins. If I insist at my elementary experience of being, then the other is only something that exists, only a fragment of my world. When it disturbs me, I react against it murderously. The other as the totality represents a threat to me. If I define the totality of myself in all my concreteness as hypostasis, then I can claim that the being of my hypostasis – hypostasis as being – is murderous. This murderous character defines a larger part of our lives, although it manifests itself in our "civilized" world mostly at the symbolic level.

What has this to do with history?

A lot. This ontological and ethical standpoint allows us to see a sharp difference between the history that we remember, i.e., between that what in my own being – being as such – presents itself as experience, a part of a real or possible memory of the hypostasis, and projected history which has not been experienced, but is being reconstructed on the basis of imaginary schemes, interpretations of reality, analogies, which are being derived by the hypostasis from its own remembered history. When I for example think of the author of the *Corpus Areopagiticum*, I think of one of those people whom I meet in everyday life, or whom I have met and have already passed away – as the other of the others. With this return, with my act of memory, I somehow return him to what he was: to what he was independently of my memory. But if I reflect this gesture of mine, I see that the absent – despite of the self-obliterating act of imagination that places it in being – remains in itself utterly non-existent. In the act of histori-cal imagination I am myself bestowing existence on the non-existent. Making the absent present is not merely changing the way of being, but radically moving non-being into being. And yet, this is only one possibility of thinking the being of the past. The only other possibility is the complete opposite. When I really think of the author of this Corpus, I think of his hypostasity, regardless of whether I place him in a particular century on the basis of this or that historical lead. I think of him as a totality and the only being itself. He is like me. This is an impossible hermeneutical act: I disappear in him; I am being annihilated. The subject of history demands from me this annihilation. The reality of the historical being is the paralogical synthesis between these two paradoxes: between the non-being made present in my hypostasis and the hypostasis which demands my annihilation in order to be understood. Scientific historiography does not take into account this paradoxical reality of the historical; it only remains a constant process of jotting down, and cataloguing of, the traces that enable this double jump. If the reflection of the paradox is open to the being of the historical itself, *historiography is in the strict sense of the word being-less.*

*

We have thus come to the core of our hermeneutical problem. The right historical understanding of Denys' identity demands a turn from the scientific historiography to hermeneutical ontology which hides in its centre an ethical problem.

The claim for a philosophical suspense of the common horizon of understanding the past when trying to understand a text and its author does, of course, evoke well-known topics of contemporary hermeneutics and its heroes. However – let me disappoint those who think that they will witness a new presentation of the argument of the death of the author that Roland Barthes developed in his famous essay ('The Death of the Author', 1968).[8] My intention is quite the opposite. I argue that historiography, even if reconfigured by means of hermeneutics, is not enough for the explanation of what happens when reading a text. Denys' text can serve us as a very good example. *His text is not only a trace of the lost history which I can restore ethically, but it is an expression of the other – the only – being that challenges me in my own being.* The text may demand *the death of the reader.* Texts, such as the one by Denys, do not leave our experience of the reality untouched; they basically and predominantly radically challenge everything that really is to us. They destroy our basic certainty regarding reality. They subvert our ontology. This claim of the text, which I can of course refuse, means that the very fundamental image of the world is being destabilized and that it no longer has any criterion for what is supposed to be historical. It cannot compare text to anything – and therefore cannot fathom the identity behind it.

*

---

8   Engl. transl. in: *R. Barthes*, Image, Music, Text. Essays selected and translated by S. Heath (London 1977) 142-148.

Now, let us proceed towards the name of God. Θεωνυμία. One name among many. One name over many. Εἰς. Ἕν. I shall not linger on its complex history in Greek thought from Eleatic acosmic wisdom and its apparent Platonic apophatic reversal – patricide of Parmenides –, as intriguing as it is. I shall start instead *in medias res* with its enigmatic occurrence in the text, which is the object of our colloquium and whose last chapter is – not by chance – entirely devoted to that disturbing name:

> And so all these scriptural utterances in a holy way celebrate the supreme Deity by describing it as a monad or henad, because of its simplicity and unity of supernatural indivisibility, by which unifying power we are led to unity. We, in the diversity of what we are, are pulled together into one, and are led into god-imitating oneness, into a unity reflecting God.[9]

I do not intend to delve into the abysmal obscurity of Dionysian henology either. My question is more simple and concerned with the fact that *this Μονάς and Ἑνάς is presented in essential relationship with authorial subject, with "we"*.

Does this name of God tell us something decisive about the historical identity of the author of *Corpus Areopagiticum*?

In accordance to what has been said before, we have to ask ourselves: Who is the subject that is as μερικαὶ ἑτερότητες folded into Ἑνάς? Under what conditions could we understand at all what is meant by these words? The awareness of the ontological dimension of the question of ascertaining the identity in history demands a new hermeneutics where we allow the other of the history to speak without putting the answers concerning the fundamental questions of being into his mouth.

The text that is in us, in me. The text that is – in me – the expression of the being of the other. The only, hypostatical being. The text which – regardless of all my ideas on identity – tells me something that is completely its own. To put it in more concrete terms: *let us allow the textuality of the corpus itself to construct the ontological identity that it expresses.* The text which faces us is the text of the author who identifies himself as Dionysius, the disciple of Paul. In the semantics of philosophical styles, in their scientifically historical syntax, this identification – the name of the author – seems impossible. But let us assume for a moment that the texts as traces of the only hypostatical being cannot be placed in any context. Despite the God-given yearning of all beings for identity with themselves, the Corpus emphasizes the other eros which is in the marked

---

9   DN 1,4: PG 3, 589D, transl. *C. Luibheid*, Pseudo-Dionysius. The Complete Works (New York 1987) 51.

opposition to the first one: the eros to return to one's own origin and to unite with it. Many textual references could be made here, suffice it to quote the famous passage from Περὶ μυστικῆς θεολογίας where the author describes Moses' ascent to Mount Sinai:

> But then (Moses) ... renouncing all that the mind may conceive, wrapped entirely in the intangible and the invisible, belongs completely to him who is beyond everything. Here, *being neither oneself nor someone else*, one is supremely united to the completely unknown by the inactivity of all knowledge, and knows beyond the mind by knowing nothing.[10]

What happens to human identity on this path? Let us listen to the text again: "being neither oneself nor someone else..." The subject of the description of the ecclesiastical, celestial and divine landscapes which lead to union does not have a fixed identity, precisely because it is the subject of narration and at the same time the subject heading towards union: someone who in the ideal sense of the word "completely belongs to the one who is beyond all realities." In such a changed horizon there is no unified field of history any more, if we are able to open ourselves to the experience which is expressed in Denys' texts in such a way as to cause us to renounce our own ontological presuppositions.

In Denys' *On God's Names*, otherness is what gives me identity, what tells me apart from the other other. But how are we to understand this mysterious *com-plicatio* of the othernesses in "god-imitating oneness, into a unity reflecting God"? Undoubtedly, this "complication" is the disappearance of the othernesses which constitute the identity of beings, separated from their origin. István Perczel has argued that this is a case of "clear-cut heretical Origenism,"[11] and in support of his claim he has refered to the fourteenth anathema of the Fifth Œcumenical Council. But such a claim is far too rash. The radical Dionysian destabilisation of identity is taking place beyond the metaphorics of fusion. It transpires as unification. Drawing on his own spiritual experience, Denys in his own way and using his idiosyncratic terminology articulates the doctrine of deification, θέωσις, which is one of the most fundamental messages of the Eastern Church: 'God came to us in his love towards humanity ... and assimilated us to himself as fire.'[12] Ysabel de Andia in her outstanding article comes

---

10   MT 1,3: PG 3, 1001A, transl. *C. Luibheid*, 137.
11   *I. Perczel*, Denys l'Aréopagite et Syméon le Nouveau Théologien, in: Y. de Andia (éd.), Denys l'Aréopagite et sa posterité en Orient et en Occident. Actes du colloque international, Paris 21-24 septembre 1994 (Paris 1997) 347, n. 20.
12   EH 2,2,1: PG 393A.

to the following conclusion: "Deification is participation in the divine life, and the transmission of this life is enacted in rites which are hierarchical and symbolical at the same time."[13]

"The com-plication of otherness" in the process of deification enables also the mutual unification of beings that are on their way towards "participation in divine life," without introducing any kind of chaos which would destroy τάξις, order. And yet, we should not mitigate the radicalism of Denys' thesis. Although Perczel wrongly connects Denys' doctrine with Origenism, his claim nevertheless reveals *the a-topical, displaced understanding of identity in Denys' discourse on deification*. This radically understood θέωσις, together with an a-topical identity of the subject of deification, allows the author of the Corpus to take over another name which is neither fiction nor historical reality, but expresses his writing out of the factually experienced πρόληψις of the eschatological κοινωνία.

This destabilisation of identity in the intimate, paralogical 'logics' of deification implies the evacuation of the text itself written by the subject/object of θέωσις. Usually, the verification of what is written is sought in the experience of the writer. Denys' unhistorical self-identification, grounded in his ontology of deification which annihilates our own ontology, withdraws this certitude. The fact that the author as the subject of union is neither himself nor someone else precisely enables him in the mystical inversion to become himself and someone else. If Denys is not Paul's disciple in "historical" fact, then he is Paul's disciple in the very experience of being deified, which happens on a level of identity transcending every historical ascertainment of identity. When God is παντώνυμος and ἀνώνυμος – when he has all names and is without any name – then the hypostasis which is experiencing the deification is ontologically entitled to take over any name: including the name "Denys, the disciple of Paul." And yet, it remains utterly without a name, and in the gesture of writing, being alien to every historical identity, it invites reader into that very same mystical *être sans papier*.

This understanding surpasses every historical biography and returns us to the very philosophical centre of the past and present discussions on the relevance of Denys' thought; moreover, it returns us to the only place where – at least in my opinion – the true understanding of his texts can start.

---

13   *Y. de Andia*, Mystères, unification et divinisation de l'homme selon Denys l'Aréopagite, OCP 63 (1997) 322.

The question of the relationship between God's name and the name of the author in his work has never been – and shall never be – resolved on the tribunal of sharp thought and deep erudition. It will always be answered in darkness and solitude that precede every erudition and thought. *When I measure the meaning of this thought, I judge the meaning of my own being.* The magic of the transfer of the name into the thing is therefore twofold: it does not lead me directly to the unpredictable subject of writing, but to the unpredictability, τὸ ἐξαίφνης of the ultimate Reality,[14] the principle of deification. When I accept Denys' invitation – without really knowing whether I have accepted it in fact because of the deepness of that dark – his work puts me in a position where there is no one but me and this Mystery: where it is not me who judges, but where I am being judged by the mystery of the absolute darkness of the final reality and its revelation, filled with light. The word for both: for the too bright darkness and too dark light is love, God's love, love that creates God, that makes God. The insistence on this dark place, the loyalty to this invitation, the loyalty before any kind of knowledge means to faithfully remain in the eros of God himself.

Maybe this is how we should understand the enigmatic words by Hugo Ball, an artist who experienced the abyss of the absurd better than many of his and our contemporaries and was thus able to experience also the dark glow of meaning. Perhaps he does not talk about our privilege or fate, but about our most intimate possibility and task:

> Wenn jemand beim Durchstöbern einer Bibliothek auf Dionysius Areopagita stösst und an ihm hängenbleibt, dann liebt ihn Gott.[15]

---

14   Cf. *Dionysius*, Ep. 3: PG 3, 1069B.

15   "If someone discovers Denys Areopagite when browsing through the library and stays with him, then that person is loved by God." *H. Ball*, Die Flucht aus der Zeit (Zürich 1992) 116.

Literaturverzeichnis

1. Quellen: Texte und Übersetzungen

Alexander Aphrodisiensis, In Aristotelis Analyticorum priorum librum I commentarium, ed. M. Wallies, CAG 2/1, Berlin 1883

Alexander Aphrodisiensis, In Aristotelis Metaphysica commentaria, ed. M. Hayduck, CAG 1, Berlin 1891

Anna Comnena, Alexias, ed. B. Leib: Anna Comnène, *Alexiade*, I, Les belles lettres, Paris 1937

Asclepius, In Aristotelis Metaphysicorum libros A-Z commentaria, ed. M. Hayduck, CAG 6/2, Berlin 1888

Bonaventura, De reductione artium ad theologiam, ed. Collegium a S. Bonaventura: Opera omnia 5, Quarracchi 1891

Damascius, In Parmenidem, ed. L. G. Westerink: Damascius, Commentaire du Parménide de Platon, I-IV, Les belles lettres, Paris 1997-2003

Damascius, Vita Isidori (Epitoma Photiana), ed. C. Zintzen: Damascii Vitae Isidori reliquiae edidit adnotationibusque instruxit C. Z., BGLS 1, Hildesheim 1967

Dionysius Areopagita, Opera omnia, ed. B. R. Suchla, G. Heil, A. M. Ritter: Corpus Dionysiacum I, PTS 33, Berlin – New York 1990; ed. G. Heil, A. M. Ritter: Corpus Dionysiacum II, PTS 36, Berlin – New York 1991; trad. de Maurice de Gandillac: Œuvres complètes du Pseudo-Denys l'Aréopagite, Paris 1943; transl. by C. Luibheid: Pseudo-Dionysius, The Complete Works, New York 1987

Dionysius Areopagita, Die Namen Gottes. Eingeleitet, übersetzt und mit Anmerkungen versehen von B. R. Suchla, BGrL 26, Stuttgart 1988

Dionysius Areopagita, Über die Mystische Theologie und Briefe. Eingeleitet, übersetzt und mit Anmerkungen versehen von A. M. Ritter, BGrL 40, Stuttgart 1994

Dionysius Carthusianus, De Donis Spiritus Sancti, ed. monachi Sacri Ordinis Cartusiensis: Opera 35, Montreuil 1908

Euripides, Supplices, ed. J. Diggle: Euripidis fabulae, II, Oxford 1981

Evagrius Ponticus, Epistula ad Melaniam, ed. W. Frankenberg: Euagrius Ponticus, Abhandlungen der königlichen Gesellschaft der Wissenschaften zu Göttingen. Phil.-Hist. Klasse, Neue Folge, XIII/2, Berlin 1912; trad. a cura di P. Bettiolo: Evagrio Pontico. Lo scrigno della sapienza, Testi dei Padri della Chiesa 30, Bose 1997

Gregorius Nazianzenus, Carmina dogmatica, ed. J.-P. Migne: PG 37, Paris 1862

Hierothei Liber, ed. F. Shipley Marsh: The Book which is Called the Book of the Holy Hierotheus, with Extracts from the Prolegomena and Commentary of Theodosios of Antioch and from the "Book of Excerpts" and Other Works of Gregory Bar-Hebraeus, London 1927

José de Jesus-Maria Quiroga, Historia de la vida y virtudes del venerable Padre Fr. Juan de la Cruz, Bruxelles 1628; Burgos 1927

José de Jesus-Maria Quiroga, Subida del alma a Dios y entrada en el paraiso espiritual, Madrid 1656-1659

Joseph du Saint Esprit, Cadena mística carmelitana de los autores carmelitas descalzos, por quien se ha renovado en nuestro siglo la doctrina de la Theologia mistica, de que ha sido discípulo de San Pablo, y primer escritor, san Dionisio Areopagita, antiguo obispo y mártir, Madrid 1678

Juan de la Cruz, Cántico espiritual, Llama de amor viva, Noche oscura del alma, Subida al monte Carmelo, trad. de Mère Marie du Saint-Sacrement, Dominique Poirot: Jean de la Croix, Œuvres complètes, Paris 1990

Leontius Byzantinus, De sectis, ed. J.-P. Migne: PG 86/1, Paris 1865

Marinus Neapolitanus, Vita Procli, ed. J. F. Boissonade: Diogenis Laertii De clarorum philosophorum vitis, dogmatibus et apophthegmatibus libri decem ... recensuit C. G. Cobet; accedunt Olympiodori, Ammonii, Iamblichi, Porphyrii et aliorum Vitae Platonis, Aristotelis, Pythagorae, Plotini et Isidori, A. Westermanno et Marini Vita Procli J. F. Boissonadio edentibus, Paris 1929

Maximus Confessor, Ambiguorum liber, ed. J.-P. Migne: PG 91, Paris 1865

Maximus Confessor, Scholia sancti Maximi in opera beati Dionysii, ed. J.-P. Migne: PG 4, Paris 1857

Pappus Alexandrinus, Commentarius in librum quintum et sextum Claudii Ptolemaei syntaxeos mathematicae, ed. A. Rome: Commentaires de Pappus et de Théon d'Alexandrie sur l'Almageste I: Pappus d'Alexandrie: Commentaire sur les livres 5 et 6 de l'Almageste, texte établi et annoté par A. R., StT 54, Roma 1931, 1-314

Plato, Critias, Leges, Parmenides, Phaedo, Phaedrus, Respublica, Theaetetus, Timaeus, ed. J. Burnet: Platonis opera, I-V, Oxford 1900-1907

Plotinus, Enneades, ed. P. Henry, H.-R. Schwyzer: Plotini opera, editio minor, I-III, Oxford 1964-1982

Plutarchus, Lycurgus, ed. B. Perrin: Plutarch's lives, I, Cambridge, Mass. 1914

Proclus, Elementatio theologica, ed. E. R. Dodds: Proclus, The Elements of Theology, Oxford 1963[2] (reprint 1971)

Proclus, Hymni, trad. de H. D. Saffrey: Proclus, Hymnes et prières, Paris 1994

Proclus, Hypotyposis astronomicarum positionum, ed. C. Manitius: Procli Diadochi Hypotyposis astronomicarum positionum. Una cum scholiis antiquis e libris manu scriptis edidit germanica interpretatione et commentariis instruxit C. M., Stutgardiae 1974 (Nachdr. von 1909)

Proclus, In Platonis Alcibiadem I, ed. L. G. Westerink: Proclus Diadochus, Commentary on the First Alcibiades of Plato, Amsterdam 1954

Proclus, In Platonis Cratylum, ed. G. Pasquali: Procli Diadochi in Platonis Cratylum commentaria, Leipzig 1908

Proclus, In Platonis Parmenidem, ed. V. Cousin: Procli philosophi Platonici opera inedita, III, Paris 1864

Proclus, In Platonis Rem publicam, ed. W. Kroll: Procli Diadochi in Platonis Rem publicam commentarii, I-II, Leipzig 1899; 1901

Proclus, In Platonis Timaeum, ed. E. Diehl: Procli Diadochi in Platonis Timaeum commentaria, I-III, Leipzig 1903-1906

Proclus, Theologia Platonica, ed. H. D. Saffrey, L. G. Westerink: Proclus, Théologie platonicienne, I-V, Les belles lettres, Paris 1968-1987

Ptolemaeus, Claudius, De hypothesibus planetarum, ed. J. L. Heiberg: C. P. Opera astronomica minora, Opera quae exstant omnia 2, Leipzig 1907

Ptolemaeus, Claudius, The Arabic Version of Ptolemy's Planetary Hypotheses, ed. B. R. Goldstein, TAPhS, NS 57, 4 (Philadelpia 1967). Übersetzt v. L. Nix: Κλαυδίου Πτολεμαίου Ὑποθέσεων τῶν πλανωμένων <B'> ex arabico interpretatus est L. N., in: C. P. Opera astronomica minora, Opera quae exstant omnia 2, Leipzig 1907, 110–145

Ptolemaeus, Claudius, Planisphaerium, ed. J. L. Heiberg: C. P. Opera astronomica minora, Opera quae exstant omnia 2, Leipzig 1907

Ptolemaeus, Claudius, Syntaxis mathematica, ed. J. L. Heiberg: C. P. Opera quae exstant omnia 1/1, Leipzig 1898

Simplicius, In Aristotelis Categorias, ed. K. Kalbfleisch: Simplicii in Aristotelis Categorias commentarium, CAG 8, Berlin 1907

Simplicius, In Aristotelis Physicorum libros, ed. H. Diels: Simplicii in Aristotelis Physicorum libros octo commentaria, I, CAG 9, Berlin 1882

Synesius Cyrenensis, Dion, ed. K. Treu: Synesios von Kyrene, Dion Chrysostomos oder Vom Leben nach seinem Vorbild, Berlin 1959

Thomas Aquinas, In librum beati Dionysii De divinis nominibus expositio, ed. C. Pera, Torino – Roma 1950

Thomas Gallus, In De divinis nominibus, ed. Ph. Chevalier: Dionysiaca: recueil donnant l'ensemble des traductions latines des ouvrages attribués au Denys de l'Aréopage, I, Paris 1937, 673-708

Zacharias (pseudo-), Historia ecclesiastica, ed. E. W. Brooks: Historia ecclesiastica Zachariae Rhetori vulgo adscrpita, I, CSCO 83, Louvain 1919, 1953[2] (textus); II, CSCO 84, Louvain 1919, 1953[2] (textus); I, CSCO 87, Louvain 1924, 1965[2] (versio); II, CSCO 88, Louvain 1924, 1965[2] (versio)

Sekundärliteratur

Andia, Y. de, Denys l'Aréopagite à Paris, in: Y. de Andia (éd.), Denys l'Aréopagite et sa postérité, 13-15

Andia, Y. de (éd.), Denys l'Aréopagite et sa postérité en Orient et en Occident, Actes du Colloque International, Paris, 21-24 septembre 1994, Paris 1997

Andia, Y. de (éd.), Denys l'Aréopagite. Tradition et métamorphoses, Paris 2006

Andia, Y. de, Henosis. L'Union à Dieu chez Denys l'Aréopagite, Philosophia antiqua 71, Leiden 1996

Andia, Y. de, Il posto di Dionigi nel pensiero di P. Charles André Bernard, in: Teologia mistica in dialogo con le scienze umane. Primo Convegno Internationale Charles André Bernard, Roma, 25-26 novembre 2005, Milano 2008, 98-120

Andia, Y. de, Jules Monchanin, la mystique apophatique et l'Inde, in: Jules Monchanin (1895-1957), Regards croisés d'Occident et d'Orient. Actes des Colloques de Lyon-Fleurie et de Shantivanam-Thannirpalli, Lyon 1997, 109-142

Andia, Y. de, L'au-delà de la parole : le silence et l'Ineffable, à paraître dans les Actes du Colloque du Sacro Cuore de Milano en 2010

Andia, Y. de, La ténèbre de l'inconnaissance et l'extase. Influence de la *Théologie mystique* de Denys l'Aréopagite sur Jean de Dalyatha, à paraître dans un recueil à la mémoire du P. Robert Beulay, au Liban

Andia, Y. de, La théologie négative de Maître Eckhart, in: A. Dierkens, B. B. de Ryke (éd.), Maître Eckhart et Jan van Ruusbroec, Bruxelles 2004, 53-70

Andia, Y. de, Moïse et Paul, modèles de l'expérience mystique de Grégoire de Nysse à Denys l'Aréopagite, StPatr 48 (2010) 189-204

Andia, Y. de, Mystères, unification et divinisation de l'homme selon Denys l'Aréopagite, OCP 63 (1997) 273-322

Andia, Y. de, Mystique et liturgie – recentrement sur le Mystère au siècle de Vatican II, LMD 250 (2007) 59-109

Andia, Y. de, Παθὼν τὰ θεῖα, in: S. Gersh, C. Kannengiesser (eds.), Platonism in Late Antiquity, Homage to Père É. des Places, Notre Dame 1992, 239-258 (= *Y. de Andia* [éd.], Denys l'Aréopagite. Tradition et métamorphoses, 17-35)

Andia, Y. de, Pati divina chez Denys l'Aréopagite, Thomas d'Aquin et Jacques Maritain, in: Th.-D. Humbrecht (éd.), Les Cahiers Thomas d'Aquin, Paris 2010, 549-589

Andia, Y. de, Remotio et *negatio* chez Thomas d'Aquin, AHDL 68 (2001) 45-71 (= *Y. de Andia* [éd.], Denys l'Aréopagite. Tradition et métamorphoses, 185-211)

Andia, Y. de, Union mystique et philosophie, in: Y. de Andia (éd.), Denys l'Aréopagite. Tradition et métamorphoses, Paris 2006, 37-57

Ball, H., Die Flucht aus der Zeit, Zürich 1992

Balthasar, H. Urs von, Herrlichkeit. Eine theologische Aesthetik. II. Band: Fächer der Stile, Einsiedeln 1962

Balthasar, H. Urs von, La Gloire et la Croix, II/1, Paris 1967, 131-192

Barthes, R., Image, Music, Text. Essays selected and translated by S. Heath, London 1977, 142-148

Beierwaltes, W., Dionysius Areopagites – ein christlicher Proklos?, in: ders., Platonismus im Christentum (Frankfurt a. M. 1998) 44-84 (= T. Kobusch, B. Mojsisch [Hg.], Platon in der abendländischen Geistesgeschichte, Darmstadt 1997, 71-100)

Beierwaltes, W., Proklos: Grundzüge seiner Metaphysik, Frankfurt a. M. 1965; 1979[2]

Bernard, Ch.-A., La triple forme du discours théologique dionysien au Moyen Âge, in: Y. de Andia (éd.), Denys l'Aréopagite et sa postérité, 503-515

Bernard, Ch.-A., Les formes de la théologie chez Denys l'Aréopagite, Gregorianum 59 (1978) 39-69

Bernard, Ch.-A., Théologie mystique, Paris 2005

Beulay, R., Denys l'Aréopagite chez les mystiques syro-orientaux et leur continuité possible en mystique musulmane, in: Les Syriaques transmetteurs de civilisation. L'expérience du Bilâd el-Shâm à l'époque omeyyade, Patrimoine syriaque: Actes du Colloque IX, Antélias 2005, 95-106

Beulay, R., La Lumière sans forme. Introduction à l'étude de la mystique chrétienne syro-orientale, Chevetogne 1987

Boulgakof, S., Le Paraclet, Paris 1946

Brons, B., Gott und die Seienden. Untersuchungen zum Verhältnis von neuplatonischer Metaphysik und christlicher Tradition bei Dionysius Areopagita, Göttingen 1976

Bundy, D., The Book of the Holy Hierotheus and Manichaeism, Augustinianum 26 (1986) 273-279

Burkert, W., Les cultes à mystères dans l'Antiquité, Paris 1992

Casel, O., De philosophorum græcorum silentio mystico, Religionsgeschichtliche Versuche und Vorarbeiten 16,2, Gießen 1919

Chevalier, Ph., Dumeige, G., Fracheboud, A., Turbessi, J., Gandillac, M. de, Ampe, A., Krynen, J., Eulogio de la Vierge du Carmel, Rayez, A., Influence du Pseudo-Denys en Occident, in: Dictionnaire de Spiritualité, t. 3, col. 318-429

Combès, J., Introduction, in: Damascius, Commentaire du Parménide de Platon, ed. G. Westerink, I, Paris 1997, IX-XXXVII

Corsini, E., Il trattato De divinis nominibus dello Pseudo-Dionigi e i commenti neoplatonici al Parmenide, Torino 1962

Dimitriev, M. V., Denys l'Aréopagite lu en Russie et en Ruthénie aux XVe-XVIIe siècles. Joseph de Volokolamsk, le starets Artemij, le protopope Avvakum, Istina 52 (2007) 449-465

Dodds, E. R., Commentary, in: Proclus, The Elements of Theology, Oxford 1964² (reprint 1971)

Dretske, F. I., Knowledge and the Flow of Information, Cambdridge, Mass. 1981

Erren, M., Einführung, in: *Aratos,* Phainomena: Sternbilder und Wetterzeichen, griechisch-deutsch, hrsg. u. übers. von M. E., Düsseldorf 2009, 106-136

Fracheboud, M.-A., Le pseudo-Denys parmi les sources du cistercien Isaac de l'Étoile, Collectanea Ordinis Cisterciensium Reformatorum 9 (1947) 328-341

Frothingham, A. L., Stephen bar Sudaili the Syrian Mystic (c. 500 A.D.) and the Book of Hierotheus on the Hidden Treasure of Divinity, Leiden 1886

Galperine, M.-C., Le temps intégral selon Damascius, Études philosophiques 3 (1980) 325-341

Gersh, S., From Iamblichus to Eriugena. An Investigation of the Prehistory and Evolution of the Pseudo-Dionysian Tradition, Studien zur Problemgeschichte der antiken und mittelalterlichen Philosophie 8, Leiden 1978

Gersh, S., Ideas and Energies in Pseudo-Dionysius the Areopagite, StPatr 15 (1984) 297-300

Ginzel, F. K., Spezieller Kanon der Sonnen- und Mondfinsternisse für das Ländergebiet der klassischen Altertumswissenschaften und den Zeitraum von 900 vor Chr. bis 600 nach Chr., Berlin 1899

Guérard, Ch., La Théorie des Hénades et la Mystique de Proclus, Dionysius 6 (1982) 73-82

Guillaumont, A., Les « Képhalaia Gnostica » d'Évagre le Pontique et l'histoire de l'Origénisme chez les Grecs et chez les Syriens, Patristica Sorbonensia 4, Paris 1962, 302-337

Hadot, P., Être, Vie, Pensée chez Plotin et avant Plotin, in: Les sources de Plotin. Entretiens sur l'Antiquité classique 5, Vandœuvres – Genève 1960, 101-141

Hadot, P., Porphyre et Victorinus, I-II, Paris 1968

Hathaway, R. F., Hierarchy und Definition of Order in the Letters of Pseudo-Dionysius: A Study in the Form and Meaning of the Pseudo-Dionysian Writings, Den Haag 1969

Hausherr, I., Les grands courants de la spiritualité orientale, OCP 1 (1935) 114-138

Henry, P., La mystique trinitaire du Bienheureux Jean Ruusbroec, in: Recherches de science religieuse 40 (1952) (= Mélanges Jules Lebreton, t. II)

Hoffmann, Ph., Jamblique exégète du pythagoricien Archytas: trois originalités d'une doctrine du temps, Études philosophiques 3 (1980) 307-323

Hoffmann, Ph., Paratasis. De la description aspectuelle des verbes grecs à une définition du temps dans le néoplatonisme tardif, Revue des études grecques 95 (1983) 1-26

Horn, G., Amour et extase d'après Denys l'Aréopagite, RAM 6 (1925) 278-289

Ivánka, E. von, Der Aufbau der Schrift „De divinis nominibus" des Ps.-Dionysios, Scholastik 15 (1940) 386-399

Ivánka, E. von, Plato Christianus. Übernahme und Umgestaltung des Platonismus durch die Väter, Einsiedeln 1990

Jansma, T., Philoxenus' Letter to Abraham and Orestes Concerning Stephen bar Sudaili. Some Proposals with Regard to the Correction of the Syriac Text and the English Translation, Le Muséon 87 (1984) 79-86

Kauffmann, G., Astrolabium, in: RE II/4 (1896) 1798-1802

Klitenic Wear, S., Dillon, J., Dionysius the Areopagite and the Neoplatonist Tradition. Despoiling the Hellenes, Aldershot 2007

Koch, H., Pseudo-Dionysius Areopagita in seinen Beziehungen zum Neuplatonismus und Mysterienwesen, Mainz 1900

Kremer, K., Die neuplatonische Seinsphilosophie und ihre Wirkung auf Thomas von Aquin, Studien zur Problemgeschichte der antiken und mittelalterlichen Philosophie 1, Leiden 1971

Kugener, M. A., Une autobiographie syriaque de Denys l'Aréopagite, OrChr 7 (1907) 292-348

Lambert, P., Schofield, P. (eds.), Making History. An Introduction to the History and Practices of a Discipline, London 2004

Leisegang, H., Die Begriffe der Zeit und Ewigkeit im späteren Platonismus, Münster i. W. 1913

Levi, A., Il concetto del tempo nelle filosofie dell'età romana, Rivista critica di storia della filosofia 7 (1952) 173-200

Lilla, S., Pseudo-Denys l'Aréopagite, Porphyre et Damascius, in: Y. de Andia (éd.), Denys l'Aréopagite et sa postérité, 117-152.

Лосев, А. Ф., История античной эстетики: Последние века, II, Москва 1988

Lossky, V., Essai sur la théologie mystique de l'Église d'Orient, Paris 1944 (reprint 2006)

Lossky, V., Théologie négative et connaissance de Dieu chez Maître Eckhart, Paris 1960

Luna, C., Segonds, A.-Ph., Introduction générale, in: Proclus, Commentaire sur le Parménide de Platon, I/1, Les belles lettres, Paris 2007

Marie-Eugène de l'Enfant Jésus, O.C.D., Je veux voir Dieu, Venasque 1956

Marion, J.-L., L'idole et la distance. Cinq études, Paris 1977

Maritain, J., Expérience mystique et philosophie, in: Œuvres complètes, IV, Fribourg, Suisse 1983

Maritain, J., Les degrés du savoir, Paris 1932⁴

Meeus, J., Mucke, H., Canon of Lunar Eclipses -2002 to +2526 : Canon der Mondfinsternisse -2002 bis +2526, Wien 1983²

Meijer, P. A., Participation in Henads and Monads in Proclus' Theologia Platonica III, chs. 1-6, in: E. P. Bos, P. A. Meijer (eds.), On Proclus and his Influence in Medieval Philosophy, Philosophia antiqua 53, Leiden 1982, 65-87

Meyer, H., Das Corollarium de Tempore des Simplikios und die Aporien des Aristoteles zur Zeit, Meisenheim am Glan 1969

Monchanin, J., La création, Écrits spirituels, Paris 1965

Monchanin, J., Mystique de l'Inde, mystère chrétien. Écrits et inédits, Paris 1974

Moutsopoulos, E., La fonction catalytique de l'ἐξαίφνης chez Denys, Diotima 23 (1995) 9-16

Mucke, H., Das Planetarium als astronomische Analogrechenanlage, Annalen der Universitäts-Sternwarte Wien 27/1, Wien 1967

Němec, V., Theorie des göttlichen Selbstbewusstseins im anonymen Parmenides-Kommentar, Rheinisches Museum 154 (2011) (im Druck)

Neugebauer, O., A History of Ancient Mathematical Astronomy, Studies in the History of Mathematics and Physical Sciences 1, Berlin 1975

O'Neill, W., Time and Eternity in Proclus, Phronesis 7 (1962) 161-165

O'Rourke, F., Pseudo-Dionysius and the Metaphysics of Aquinas, Studien und Texte zur Geistesgeschichte des Mittelalters 32, Leiden 1992

Ninci, M., L'universo e il non-essere. I: Trascendenza di Dio e molteplicità del reale nel monismo dionisiano, Roma 1980

Osorio-Osorio, A., Maïmonides : El lenguaje de la teología negativa sobre el conocimiento de Dios, in: Sprache und Erkenntnis im Mittelalter, Miscellanea Mediaevalia 13,2, Berlin – New York 1981

Panofsky, E., Blind Cupid, in: Studies in Iconology. Humanistic Themes in the Art of the Renaissance, Oxford 1939, 95-128

Pera, C., La Teologia del Silencio di Dionigi il Mistico, Vita Cristiana 15 (1943) 267-276

Perczel, I., A Philosophical Myth in the Service of Christian Apologetics? Manichees and Origenists in the Sixth Century, in: Y. Schwartz and V. Krech (eds.), Religious Apologetics, Philosophical Argumentation, Tübingen 2004, 205-236

Perczel, I., Denys l'Aréopagite et Syméon le Nouveau Théologien, in: Y. de Andia (éd.), Denys l'Aréopagite et sa posterité en Orient et en Occident. Actes du colloque international, Paris 21-24 septembre 1994, Paris 1997, 341-357

Pinggéra, K., All-Erlösung und All-Einheit. Studien zum ‚Buch des heiligen Hierotheus‘ und seiner Rezeption in der syrisch-orthodoxen Theologie, Sprachen und Kulturen des christlichen Orients 10, Wiesbaden 2002

Pinggéra, K., Die Bildwelt im „Buch des heiligen Hierotheus" – ein philosophischer Mythos?, in: M. Tamcke (Hg.), Mystik – Metapher – Bild. Beiträge des VII. Makarios-Symposiums, Göttingen 2007, Göttingen 2008, 29-41

Puech, H.-Ch., En quête de la Gnose, Paris 1968

Puech, H.-Ch., La ténèbre mystique chez le Pseudo-Denys l'Aréopagite et dans la tradition patristique, Etudes Carmelitaines mystiques 23 (1938) 33-53

Rayez, A., Utilisation du Corpus Dionysien en Orient, in: Dictionnaire de Spiritualité, t. 3, 1957, s. v. Denys l'Aréopagite (pseudo-), col. 300-315

Riedinger, U., Der Verfasser der pseudo-dionysischen Schriften, ZKG 75 (1964) 146-152

Riedinger, U., Pseudo-Dionysios Areopagites, Pseudo-Kaisarios und die Akoimeten, ByZ 52 (1959) 276-296

Rigo, A., La spiritualità monastica bizantina e lo Pseudo-Dionigi l'Areopagita, in: M. Bielawski, D. Hombergen (edd.), Il monachesimo tra eredità e aperture, Roma 2004, 351-392

Rijk, L. M. de, Causation and Participation in Proclus. The Pivotal Role of ‘Scope Distinction’ in His Metaphysics, in: E. P. Bos, P. A. Meijer (eds.), On

Proclus and his Influence in Medieval Philosophy, Philosophia antiqua 53, Leiden 1982, 1-34

Rist, J. M., Pseudo-Dionysius, Neoplatonism and the Weakness of the Soul, in: H. J. Westra (ed.), From Athens to Chartres. Neoplatonism and Medieval Thought. Studies in Honour of Edouard Jeauneau, Leiden 1992, 135-161

Rome, A., L'Astrolabe et le Météoroscope d'après le commentaire de Pappus sur le 5e livre de l'Almageste, Annales de la société scientifique de Bruxelles 47 (1927) 77-102

Roques, R., De l'implication des méthodes chez le Pseudo-Denys, RAM 30 (1950) 268-274

Roques, R., Note sur la notion de théologie chez le Pseudo-Denys l'Aréopagite, RAM 25 (1949) 200-212

Rorem, P., Biblical and Liturgical Symbols within the Pseudo-Dionysian Synthesis, Toronto 1984

Saffrey, H. D., Le « Philosophe de Rhodes » est-il Théodore d'Asiné? Sur un point obscur de l'histoire de l'exégèse néoplatonicienne du Parménide, in: Mémorial A.-J. Festugière. Antiquité païenne et chrétienne, Genève 1984, 65-76

Sambursky, S., Pines, S., The Concept of Time in Late Neoplatonism. Texts with Translation, Introduction and Notes, Jerusalem 1971

Schäfer, Ch., Philosophy of Dionysius the Areopagite. An Introduction to the Structure and the Content of the Treatise On the Divine Names, Philosophia Antiqua 99, Leiden – Boston 2006

Schuh, F. (Hg.), Enzyklopädie Naturwissenschaft und Technik : Medizin und Biologie; Chemie und Physik; Mathematik und Informatik; Geowissenschaft und Astronomie; Bau- und Verkehrstechnik; Elektro- und Energietechnik; Verfahrens- und Werkstofftechnik, Gesamt-Redaktion Dr. F. S., Bd. 1, München 1979

Sheldon-Williams, I. P., The Ps.-Dionysius and the Holy Hierotheus, StPatr 8/2 (1966) 108-117

Sherwood, P., Wenger, A., Rayez, A., Influence du Pseudo-Denys en Orient, in: Dictionnaire de Spiritualité, t. 3, Paris 1957, col. 286-318

Sicherl, M., Ein neuplatonischer Hymnus unter den Gedichten Gregors von Nazianz, in: Gonimos. Neoplatonic and Byzantine Studies presented to L. G. Westerink at 75, Buffalo, NY 1988, 61-83

Solignac, A., Mystique, in: Dictionnaire de Spiritualité, t. 10, Paris 1980, col. 1955-1965

Solignac, A., Passivité (dans l'expérience mystique), in: Dictionnaire de Spiritualité, t. 12, Paris 1984, col. 357-360

Špinka, Š., Nothing is in Itself One (Motion and Relation in the Context of Protagoras' "Secret Doctrine" in the Theaetetus), Internationales Jahrbuch für Hermeneutik 10 (2011) 239-267 (im Druck)

Stang, Ch. M., Dionysius, Paul and the Significance of the Pseudonym, in: S. Coakley and Ch. M. Stang (eds.), Re-thinking Dionysius the Areopagite, Malden, MA – Oxford 2009, 11-25

Steel, C., Le Parménide est-il le fondement de la Théologie Platonicienne?, in: A. Ph. Segonds – C. Steel (éd.), Proclus et la Théologie Platonicienne. Actes du Colloque International de Louvain (13-16 mai 1998). En l'honneur de H. D. Saffrey et L. G. Westerink, Leuven – Paris 2000, 375-398

Stolz, A., Theologie der Mystik, Regensburg 1936

Stumpff, K. (Hg.), Astronomie, Frankfurt am Main 1957

Suchla, B. R., Wahrheit über jede Wahrheit. Zur philosophischen Absicht der Schrift De divinis nominibus des Dionysius Areopagita, ThQ 176 (1996) 205-217

Thomas, O., Astronomie und Probleme. Mit 458 Originalzeichnungen des Verfassers und 52 Tiefdruckbildern auf 41 Tafeln, Stuttgart 1956[7]

Treu, K., Synesios von Kyrene. Ein Kommentar zu seinem „Dion", TU 71, Berlin 1958

Trouillard, J., L'intelligibilité proclusienne, in: La philosophie et ses problèmes. Recueil d'études de doctrine et d'histoire offerts à Monseigneur R. Jolivet, Lyon – Paris 1960, 83-97

Tucker, A., Our Knowledge of the Past. A Philosophy of Historiography, Cambridge 2004

Vanneste, J., Le Mystère de Dieu. Essai sur la structure rationelle de la doctrine mystique du Pseudo-Denys l'Aréopagite, Brussels 1959

Vansteenberghe, E., Autour de la docte ignorance, Beiträge zur Geschichte der Philosophie des Mittelalters 14, Münster 1914

Verhahn, H. M., Dubia und *spuria* unter den Gedichten Gregors von Nazianz, StPatr 7 (1966) 337-347

Vogt, H.-J., Rez. von: *Pseudo-Dionysius Areopagita,* Über die Mystische Theologie und Briefe. Eingeleitet, übersetzt und mit Anmerkungen versehen von A. M. Ritter, BGrL 40 (Stuttgart 1994), in: ThQ 176 (1996) 86-88

Voigt, H.-H., Abriß der Astronomie, Mannheim 1980

Völker, W., Kontemplation und Ekstase bei Ps. Dionysius Areopagita, Wiesbaden 1958

Waerden, B. L. van der, Die Astronomie der Griechen : Eine Einführung, Darmstadt 1988

Watt, J., Philoxenus and the Old Syriac Version of Evagrius' Centuries, OrChr 64 (1980) 65-81

White, H., Tropics of discourse, Baltimore 1978

Wohlman, A., Thomas d'Aquin et Maïmonide. Un dialogue exemplaire, Paris 1988

Ziegler, K., Pappos von Alexandria, in: RE XVIII/36.2 (1949) 1084-1106

Register

A. Stellen

I. Die Bibel

B. Namen

C. Begriffe

Griechische

Lateinische

Syrische

Abkürzungen

AHDL	Archives d'histoire doctrinale et littéraire du Moyen Age
BGLS	Bibliotheca Graeca et Latina suppletoria
BGrL	Bibliothek der griechischen Literatur
ByZ	Byzantinische Zeitschrift
CAG	Commentaria in Aristotelem Graeca
CSCO	Corpus Scriptorum Christianorum Orientalium
OCP	Orientalia Christiana Periodica
OrChr	Oriens Christianus
PG	Patrologia Graeca
PTS	Patristische Texte und Studien
LMD	La Maison-Dieu
RAM	Revue d'ascetique et de mystique
RE	Realencyclopädie der Classischen Altertumswissenschaft
StPatr	Studia Patristica
StT	Studi e Testi (Biblioteca apostolica vaticana)
TAPhS	Transactions of the American Philosophical Society
ThQ	Theologische Quartalschrift
TU	Texte und Untersuchungen
ZKG	Zeitschrift für Kirchengeschichte

PARADOSIS

Neuere Bände/Volumes récents

ACADEMIC PRESS FRIBOURG